近現代史年表で読む 社会運動グラフィティ 1897~1972

木村孝司［編］

白順社

本書の成立とそれから
あるいは民主主義をめぐる45年余

2020年は60年安保闘争から60年、70年安保から50年の年となりました。

この年の世界はコロナ・ウイルスによって被患者は1億人に迫り、死者は2百万人を越えています。第1次世界大戦下に全世界を襲ったインフルエンザ（スペイン風邪）以来の大惨事となっています。貧しい人々、弱小国家に犠牲者が急増しています。この混乱に乗じ危機を煽って己の政治的野望を実現しようとする「コロナ・ファシズム」が横行しています。

19世紀末から始まっていた

この年表は、1975年に神奈川県在住の青年労働者グループが労働運動、社会運動の経験の途上で組織内部に抱えていた誤りや矛盾点を検証する過程で、組織における民主主義の欠落に気づかされました。

日本の社会運動と労働運動の発展には日本共産党が大きく関わっています。私が参加していた労働者グループも、その共産党に源流を有していました。日本の社会運動を担ってきた団体組織の中で民主主義は機能していたのでしょうか？　私が参加していた学生組織、労働者組織、労働組合、自治会の中で「民主主義」についての真剣な議論がなされた記憶はありません。私、そして私の周辺の人々は1960年代から70年代の間に、ベトナム戦争に反対し、それに加担している自民党政権に反対し、東欧の民主化を圧殺し続けているソビエト・ロシアの蛮行に反対していました。

結果としての連合赤軍

しかし、私たちは民主主義を余りにも軽んじていました。戦術的な急進主義を他者、他派よりもさらに過激に突出することに満足していた側面があります。組織内の民主主義を軽んじていた最悪の結末が「連合赤軍リンチ殺人事件」です。私のかつての同志が加害者、被害者になってしまいました。本当に断腸の想いです。

私は彼らと路線上の違いから袂を分かっていましたが、自らが加害者になっていた可能性はありました。

戦後民主主義がそれだけ幼かった証左です。

近くて遠い民主主義

この年表は1897年から1972年までの75年間の記録です。社会運動と労働運動に深く関わってきた日本共産党の歩みを軸に構成しています。あくまで木村個人の責任で加筆と訂正を行いました。

1975年にこの年表を公けにして以来、世界は激しく変動し続けています。1989年は東欧と中国で民主化闘争が燃え上がりました。東欧各国の独裁政府は人民大衆の直接民主主義による街頭決起で次々と崩壊しました。しかし当時の中国共産党指導者鄧小平は6月4日に天安門広場で民主化を求めて座り込んでいた人民大衆に対して大虐殺を敢行しました。

当時、私の近親者は北京に勤務していましたが、現地社員の1人が天安門広場で射たれ、大腿部を貫通する銃創を負っています。病院に運べば逮捕されますから社員全員で彼を介抱したそうです。地方にいた友人は「民主派と関わりがある」との罪状で国外退去処分を受けました。当時の中国国内は無政府状態だったそうです。

改革開放政策で「資本主義」を呑み込んだ中国は日本の資金援助も受け経済大国となりました。今日、習近平政権はモンゴル、ウイグル、チベットをはじめ、国内の少数民族を圧迫し殺戮をも続けています。アムネスティ・インターナショナルは北京オリンピックのはるか以前から中国国内の知識人に対する弾圧と刑務所強制収容所における不当な殺人と人権侵害とを強く警告しました。

日、米、ロと欧州諸国は強硬な外交圧力をまったく行っていません。中国との経済関係を優先させました。欧米列強の弱腰を見据えた中国は「一帯一路」政策を打ち出しヨーロッパと東アフリカに至るまで自国の経済圏を形成しています。これはかつて中国が他国にレッテル貼りを行っていた「覇権主義国家」です。

ソビエト・ロシアは東欧民主化の大波の中で1991年に崩壊しました。1917年11月ペトログラードの少数派であったボリシェビキ派がクーデターによって権力を簒奪した、いわゆる「十月革命」以後、人民大衆と少数民族を抑圧し続けてきたソビエト・ロシアがついに終わったのです。しかし国家の崩壊の混乱に乗じて台頭してきた旧支配階級の一派が、元秘密警察のプーチンを独裁者に押し上げました。今日もなお、言論人、弁護士等を次々と処刑、暗殺し続けています。しかしロシア民衆の反権力の闘いはロシア各地でねばり強く続けられています。

アラブの春、韓国の民主化は人民が直接街頭に繰り出して声を上げ、時の権力者をその座から引きずり降ろしました。日本人民にとっては大切な教訓です。日本においても2011年3・11の原発事故以来、反原発デモ、そして安保関連法案に反対する人々のうねりは10万人以上に達して国会を包囲しました。テレビ中継を見ていた韓国の人々は「日本の闘いが私利私欲に走っていたパククネを引きずり降ろす大きなきっかけになった」と話しています。正しい闘いは世界に広がります。

21世紀のための努力へ

選挙による民主主義の実現を否定はしませんが、世界の歴史では人民大衆が自らの声と自らの手と足で国を変えてきました。

2021年の今日、世界にはまだまだ多くの独裁国家が存在しています。その人民の数は26億人に達しています。世界人口の3分の1近くの人々が今日もなお、独裁と非人道的な権力によって尊厳を辱しめられ、生命までも奪われ続けています。

大国と言われている米国、中国、英国、ロシアは2020年に連合国（国連）で成立した核兵器禁止条約に賛同していません。日本政府も犯罪国家の一員に名を連ねています。平和、民主主義という言葉を空虚にしないために、ともに力を合わせましょう。

2021年1月

木村孝司

日本共産党	社会運動	国内情勢	国際情勢	
日本共産党前史 　1、**社会民主党の結成**—日本における最初の社会主義政党として社会民主党は、安部磯雄、片山潜、幸徳秋水、河上肇、木下尚江、西川光次郎らを中心に、砲兵工廠や日本鉄道大宮工場などの先進的労働者の参加をもって結成された。同党は治安警察法によって即日禁止されたものの1898年、キリスト教的社会主義者片山、安部、自由民権左派大杉栄らのはじめた社会主義研究会とその発展的組織として翌年結成された社会主義協会の運動の結果である。同党は、その宣言の中で普通選挙法の実施、貴族院の廃止、軍備の縮小、治安警察法の廃止、労働組合法と小作人保護法の制定等をかかげるとともに、次の8項目にわたる理想をかかげた。	4月　城常太郎、高野房太郎ら職業別労働組合「職工義友会」結成 7.5　「労働組合期成会」結成［城、沢田、高野ら労働組合運動の宣伝啓蒙団体として創立］ 12.1　「鉄工組合」結成『労働世界』創刊(主筆・片山潜)［期成会最初の成果で日本初の近代的労組。東京砲兵工廠石川島造船、日本鉄道などが中心。最盛期3000余名］	10月　渡良瀬川流域農民の政府への鉱毒防止要求行動続く ＊この年、米価高騰、各地で米騒動起こる	朝鮮、国号を大韓と改む 11月　ドイツ軍、宣教師殺害を口実に中国・膠州湾を占領	1897
①人類はみな同胞である②全面的な軍縮③階級制度の全廃④土地・資本の公有⑤重要な交通機関の公有⑥財産の公平な分配⑦人民の平等な政治への参加⑧人民の教育を受ける平等の権利 　2、**社会党の結成**—1906年2月「国法の範囲内で社会主義を主張」することを党則にかかげ、堺利彦、片山、西川、田添鉄二、森近運平らによって社会党が結成された。当時すでに社会民主党	2.24　日本鉄道機関方400名、待遇改善・解雇反対でスト、勝利。 4.5　「日本鉄道矯正会」結成	2.10～15　富岡製糸女工ストライキ 6.30　隈板連立内閣成立［初の政党内閣］ 10.18　幸徳・片山ら社会主義研究会結成	3月　ドイツ、膠州湾租借、ロシア、旅順・大連租借 4月　米西戦争 9月　中国で戊戌の政変	1898
禁止後に活動していた**社会主義協会**はもちろん、平民社及び同社「平民新聞」も「共産党宣言」を紹介したことをもって解散に追いこまれていく。	11.3　活版工2000名「活版工組合」結成［会頭・毎日新聞社長島田三郎］	渡良瀬川流域農民7000人、警官隊と激突 12.2　選挙法改正	3月　義和団事件起こる（〜1901）［8月8カ国連合軍出兵］	1899

	日本共産党	社会運動	国内情勢	国際情勢
1900	党員には、人力車夫、飴屋、職工、書生、失業者、兵卒、小作人、郵便局員などがおり、その数は200人くらいといわれているが、当時の警視庁発表「全国社会主義者の数2万5000人」にほぼ匹敵する力を有していた。 　堺利彦は、小論の中で「党員の数と同志の数は同一にあらず。……300の党員は……時に3万の影武者を意味することあり」とのべている。社会党は1907年2月、第2回大会にむけてその体内に、片山、田添らの「議会政策派」とゼネストを主張する幸徳、大杉栄、山川均ら「直接行動派」の分派を生みだした。2回大会は、両派の論争の場と化しつつも、党則を「社会主義の実行を目的とする」ことと改め閉会した。しかしこの改定によって治安警察法が適用され解散に追いこまれ、両派とも「冬の時代」に突入した。	4月　日鉄鉄工同盟、1300名待遇改善要求スト [2.23制定、3.10公布、3.30施行の治安警察法は衰退しつつあった労働運動に追いうちをかけることになったが、その衰退の直接原因はむしろ親方的職人を中心に組織されるというその封建的要素を残した労組のあり方自体にあった]	1.28　社会主義研究会を改組し、社会主義協会を結成 2.13　渡良瀬川流域農民第4回押し出し1万2000人 3.9　治安警察法公布 5.15　帝国主義列強とともに日本軍中国出兵[北清事変] 8.7　幸徳「非戦争主義」発表 9.15　伊藤博文、立憲政友会を組織	―　義和団、北京入城、各国公使館などを焼打ち 2.27　イギリス労働者代表委員会(後の労働党)成立 6.21　清朝、列国に宣戦[日本は侵略軍約2万の半数を出兵] 12.13　ロシアで週刊「イスクラ(火花)」紙、第1号発刊
1901	3、社会主義同盟の時代―「1920年12月に社会主義同盟が組織された。これは無政府主義、共産主義その他の革命的な諸団体であって、根本においては労働者階級の政党としての力をもつものでなく、またそういう性質のものでもなかった」と市川正一が著書『日本共産党闘争小史』でのべ	3月　鉄工組合年次大会で「社会主義が労働問題の唯一の根本的解決」との宣言を決議[当時の社会主義は社会改良主義に近いもので、マルクス主義ではなかった]	5.20　幸徳、片山ら社会民主党結成、即日禁止 6.3　幸徳ら再度、社会平民党結成、即禁止 12.10　田中正造、鉱毒絶滅を明治天皇へ直訴[原文は幸徳が執筆]	2月　ロシア社会革命党(エス・エル)結成[1898年には社会民主労働党結成] 9.7　義和団事件、最終議定書調印(北京)
1902	ているように、「思想団体」の性格をもち「サンディカリズム、アナルコ・サンディカリズム」的傾向をも混入させたものでもあった。この時代の総括を踏み台として、労働者階級の政党＝日本共	7月　呉海軍砲兵工廠5000名スト 8月　東京小石川砲兵工廠120名賃上げ要求スト	1.30　日英同盟条約	1.30　日英同盟 2月　レーニン「何をなすべきか」

日本共産党	社会運動	国内情勢	国際情勢	
産党の「建党」の時代へと、日本の社会主義者の大道が明らかにされた。 日本共産党綱領草案（抜粋） 　日本共産党は、あらゆる国々の共産党の共通的要求を基礎としつつ、日本の資本主義発展の特殊性を考慮しなければならぬ。世界大戦は他の諸国に影響したと同一程度には日本には影響しなかったために、日本資本主義は戦時中非常に発展をとげたが、しかし日本の資本主義は今なお、前代の封建的関係の痕跡をもっている。	5月　長崎三菱造船鉄工部900名、賃上げ要求スト	7.5　幸徳秋水『社会主義神髄』出版 10.8　「万朝報」、非戦論を排し、開戦論へ転向 11.15　幸徳、堺ら平民社設立［平民新聞発刊し非戦運動展開］	4月　清朝、ロシアと「満州」還付条約 7〜8月　ロシア社会民主労働党第2回党大会（ブリュッセル・ロンドン）［ボルシェビキとメンシェビキの対立始まる］	1903
封建制度の残存物は今日なお国家の機構において優位を占めており、国家機関はなお商工ブルジョアジーの一定の部分と、大地主とからなるブロックの手に握られている。	8月　横浜電鉄運転士、車掌賃上げスト	2.10　日露戦争 3.13　幸徳「露国社会党に与うる書」発表	2月　日韓議定書（第1次日韓協約［李朝に大幅な特権を強要］	1904
かかる諸条件において、現存国家権力に対する反対勢力は労働者階級、農民及び小ブルジョアジーから生起するばかりでなく、いわゆる自由主義的ブルジョアジーの広範な部分からも生起する。	5.1　平民社、メーデー茶話会開催 5.13　門司石炭仲仕7000名賃上げ要求スト	9.5　日露講和条約。日比谷焼打事件［対露強硬同志会主催、屈辱講和反対国民大会が暴動化］ 11月　朝鮮総督府設置［朝鮮を保護国の名目で日本の植民地とする］	1.22　ロシア第1次革命「血の日曜日」大虐殺 7.8　世界産業労働者同盟IWW結成 8.20　孫文ら東京で中国革命同盟会結成	1905
プロレタリアの独裁を目的とする日本共産党は、現存政府に対する戦争の能力を実際に有する一切の社会的勢力を利用しなければならぬ。何となれば現存政府の転覆は、独裁実現のための労働者階級の闘争の不可避的な段階だからである。日本共産党はブルジョア民主主義の敵ではあるけれども、それにも拘わらず過渡的スローガンとして、	8月　呉海運工廠スト暴動化 10月　永岡鶴蔵ら、大日本労働至誠会、足尾支部設立 12月　大阪砲兵工廠1万6000名賃上げ要求スト	2.24　日本社会党結成 3.15　東京市電値上げ反対デモ。投石焼打ちで大杉栄ら10名検挙	4月　ロシア社会民主労働党第4回大会（統一大会） 12.4　中国、江西・湖南で同盟会蜂起、失敗	1906

	日本共産党	社会運動	国内情勢	国際情勢
1907	天皇の政府の転覆及び君主制の廃止を掲げ、かつ普通選挙獲得の闘争を指導しなければならぬ。更にそれを実行することは、日本の革命運動の発展段階において、共産党の旗の下に最大限度の勢力を集中し、その勢力の指導権を握り、かくして日本のプロレタリアートのソビエト権力のための未来の闘争の道を開拓するために必要である。　日本の労働者階級は、現存政府の転覆方針としての、プロレタリアートの独裁のための闘争においてその闘争をして勝利あらしむるためには、統一的な集中的指導部をもたなければならぬ。若干の革命的要素「アナキスト、サンディカリスト等」の側からの、そのような指導部に対する反対は、決定的瞬間が到来した場合、当然に現出すべき状態について、彼等が無理解なることからきているものである。遅かれ早かれこの闘争は、国家権力との直接の衝突に赴くのであるが、国家権力は有力な集中化された機関をもっている。この機関を破砕するためには革命的プロレタリアートの行動は計画的でなければならず、それは意志の統一と、組織された勢力の統一とによって初めて実現することができる。されば日本共産党の当面の任務は、労働組合を獲得し労働者階級の諸組織に対する共産党の影響を確保することにある。何よりもまず、党は労働組合運動の内部に介在する黄色的、愛国的社会改良主義的指導者の勢力を排除し、組合に	2.4　足尾銅山坑夫3600名賃上げ、労働条件の改善などで暴動化し軍隊が鎮圧 2月　三菱長崎造船8000賃上げ労働時間短縮要求スト 6月　別子銅山坑夫千余名、賃上げなどで暴動、軍隊が鎮圧 8月　生野銀山坑夫高米価に反対してスト	1.15　日刊「平民新聞」創刊［4月停刊］ 2.4　足尾銅山暴動 2.17　日本社会党第2回大会。幸徳、直接行動論展開、2.22 命令解散 6.2　片山潜、「社会新聞」発刊 6.25　日本社会平民党結成 6.27　原内相が禁止	5.22　同盟会、広東省の黄岡で蜂起、失敗 8.18〜24　第2インターナショナル第7回大会（シュトゥットガルト）［戦争問題と植民地問題をめぐり対立］ 8.31　イギリス・ロシア協商締結、三国協商成立
1908		07年には恐慌のため争議は第1次大戦前最高（件数60参加人員1万1483人）となるがほとんどは反抗的暴発に終り、1つの労組も残らなかった。それは治安警察法をはじめとする弾圧とともに労働者階級の未成熟にも大きな原因があった	6.18　赤旗事件［直接行動派赤旗を立ててデモ、官憲と衝突。大杉、荒畑ら14名検挙］ 8.27　別子銅山煙害被害農民1500人余住友鉱業所へ押しかける	3.17　中国・広東で日貨せき運動、華南一帯に波及 12月　「満州」宣統帝溥儀即位
1909		7月　欧友会秀英社などの間でクローズド・ショップ制締結	1月　市電値上げ反対東京市民大会 10月　伊藤博文、朝鮮独立革命家の安重根によりハルビンにて狙撃され死去	09〜10年　朝鮮各地で日本の侵略に対し、大韓自強会等が愛国啓蒙運動、義兵闘争

日本共産党	社会運動	国内情勢	国際情勢	
組織された労働者大衆の間に、その信望を高めねばならぬ。また党は雇主及び国家に向けられた労働者階級のあらゆる部分の反抗を支持し、たとえ最も小さな行動であってもその中にあって指導的役割を執らなければならぬ。党は労働者の大衆と確固たる組合を結ぶ上において全力を傾けねばならず、いかなる場合にあっても孤立の地位にたってはならない。労働組合内にアナキスト及びサンディカリストの勢力が現存する場合には、党は彼らと結合して共同戦線を構成しなければならぬ。と同時に党は労働者階級のこれらの革命的要素の偏見、すなわちこの闘争の正しい行動を妨害する偏見の克服に努力しなければならぬ。		6.1　大逆事件［幸徳秋水、管野スガらデッチ上げ天皇暗殺計画によって検挙］ 8.22　日韓併合	2.12　同盟会、広東で蜂起、失敗 5.23　英米独仏4国対華借款団組織	1910
	12.31　東京市電労働者6000名、配当金の不満からスト［片山の指導により東京市電の全線をストップ。治警法により片山ら指導者2名と労働者64名検挙］	1.18　大逆事件密室裁判で24名に死刑宣告。1.24　12名処刑 東京、大阪に特別高等警察設立［社会主義と労働運動弾圧に特化した］	10.10　武昌の新軍同盟会が蜂起［辛亥革命始まる］ 12月　南京、革命軍により陥落 12月　孫文、欧州より上海に到着	1911
党は広範な農民大衆の上に、特に貧農の上に勢力を獲得するために努力しなければならぬ。ブルジョア反対派の運動に関しては、党は一方にそれを利用すると同時に他方にその行動の矛盾を峻烈に批判し、自由主義ブルジョアジーが労働者階級の生長を虜れて犯すべき欺瞞の一切を暴露しなければならぬ。	8.1　鈴木文治ら15名で「友愛会」結成	9月　平塚らいてう青踏社設立 10月　社会党結成 7.30　明治天皇死去	1.1　中華民国成立 3.10　袁世凱、臨時大総統に就任 10月　第1次バルカン戦争	1912
日本共産党はコミンテルンの一支部として、プロレタリア独裁のための革命的闘争においてその義務を尽すであろう。そしてそのプロレタリアートの独裁こそ、今やインターナショナルの旗の下に最後の勝利に向って国際プロレタリアートの世界革命に向って進行しつつあるものである。	6月　日本蓄音機商会（後のコロンビア）争議［鈴木文治が調停］	第1次護憲運動起こる 2.10　日比谷暴動［桂内閣反対護憲闘争御用新聞社焼打ち。桂内閣総辞職］	6月　第2次バルカン戦争 8月　孫文、日本に亡命―辛亥革命敗北	1913
	6月　東洋モスリン吾嬬工場首切り反対の争議［弾圧により敗北。鈴木文治が調停］	1月　海軍収賄シーメンス事件起こる 2.10　内閣弾劾護憲国民大	6.28　ボスニアのサラエボでオーストリアの皇太子フェルディナンド大公夫妻が	1914

	日本共産党	社会運動	国内情勢	国際情勢
1914	**友愛会** 　友愛会は労働者階級最初の全国的組織で友宜的、共済的な労資協調主義の団体であったが「冬の時代」のなかで労働者の組織がまったく存在せず、社会主義者も「冬眠」を続けている時、労働者たちは友愛会へ結集していった。そして、「資本と労働の調和」を説く友愛会はやがて鈴木の意志に反し、ストライキに参加した労働者とロシア革命の影響をうけたインテリゲンチャーの加入によって、急速に労働組合へと脱皮していくことになる。	＊この年、争議件数 50 件・参加人員 7904 名	会暴動化 8月　日本、ドイツに宣戦布告	セルビア青年に暗殺される 7.26　第 1 次世界大戦始まる 8月　第 2 インタナショナル崩壊［社会排外主義の戦争支持により］　↙
1915		7月　浦賀ドックで 7000 名スト ＊この年、争議件数 64 件・参加人員 7852 名	↙ 9月　社会主義者国際会議［大戦を帝国主義戦争と規定、レーニン出席］	1月　ドイツでスパルタクス団結成 4月　中国、段祺瑞内閣
1916	**米騒動** 　富山県の漁師町、魚津町の婦人たちが起した米騒動はまたたく間に都市に波及し、京都、大阪、神戸等で軍隊と衝突。参加人数推定 1300 万人。当時の人口 5400 万。送検者 8185 人。内「部落民」887 人の不当差別弾圧。	9月　大阪で堂前孫三郎、坂本孝三郎、西尾末広ら「職工組合期成同志会」結成 ＊この年、争議件数 108 件参加人員 8413 名	9月　工場法施行	6月　レーニン『帝国主義論』
1917	米騒動の最中に労働者の争議件数は飛躍的に増大し、友愛会の鈴木は「じつに、全国 120 余の支部会員中殆んど 1 人も騒動に参加したものがない」と誇った。その争議は明らかに米価騰貴を直接の契機とする自然発生的な闘争であったが、「冬の時代」は終わり階級闘争の新たな段階が切り開かれ、労働運動をはじめ諸運動が組織的、大衆的な基礎の上に進められるようになった。特に	6月　三菱長崎造船所 1 万2000 名賃上げ要求スト 11月　神奈川県浅野造船所労働者 6000 名暴動化 ＊この年、争議急増 398 件参加人員 5 万 7308 名	2.7　石井・ランシング協定［米国は日本の中国内特殊権益を認める］ 金輸出禁止―インフレ	3.11　ロシア 2 月革命 9.10　孫文、広東軍政府樹立 11.7　ロシア 10 月革命 11.8　ソビエト政権成立
1918		8.17　宇部炭鉱労働者暴動、1 万人が参加	7.22　米騒動始まる 9月　寺内内閣総辞職、原敬	3.3　ロシア、ブレスト・リトウスク条約調印

日本共産党	社会運動	国内情勢	国際情勢	
労働者階級が階級的結集を遂げて階級闘争の中核を占めるようになった。	＊この年、争議件数 417 件参加人員 66457 人	の政友会内閣成立 12 月　新人会結成	11 月　ドイツ・キール軍港で水兵反乱 12.30　KPD 独共産党（スパルタクスブント＋左翼急進派）結成	1918
	5 月　新人会の援助で渡辺政之輔「新人セルロイド職工組合」結成 7～8 月　大阪・東京両砲兵工廠でスト 9 月　足尾銅山でスト 9.30　友愛会 7 周年大会、「大日本労働総同盟友愛会」と改称 11.20　足尾銅山坑夫 1 万余名、賃上げ、8 時間労働制要求スト〔警察、軍隊などが暴力的介入〕 12 月　友愛会など「普通選挙期成関西労働連盟」を結成 ＊この年、争議件数 494 件、参加人員 6 万 3137 名	普選運動、ブルジョア民主主義者の手に移る	1 月　SPD ドイツ社会民主党反革命開始 1.6　ベルリンゼネスト 50万人参加 1.8　SPD 政府武力弾圧開始 1.15　ローザ・ルクセンブルクとカール・リープクネヒト虐殺される 1.18　ベルサイユ講和会議始まる 3.1　朝鮮で 3.1 独立運動〔日帝の植民地支配に反対する民族あげての独立運動。全国で「朝鮮独立万歳」を叫んでデモ、数カ月で 200万人が参加、死者 1 万人以上、検挙者 1 万 9525 人〕 3.2　コミンテルン（第 3 インターナショナル）結成 5.4　中国で 5.4 運動〔北京	1919

	日本共産党	社会運動	国内情勢	国際情勢
1919				から全国に波及、中国共産党の成立を準備〕 6.26　韓人社会党結成 6.28　大戦講和条約調印
1920		2月　八幡製鉄所職工2万3000名スト、溶鉱炉の火を消す 5.2　日本最初のメーデー、5000名参加 5.16　友愛会、信友会など「労働組合同盟会」結成 8月　友愛会第1回関東大会。平沢計七を「徹底的労資協調主義」として攻撃、脱会させる。 ＊この年、争議件数282件、参加人員3万6371名	12月　日本社会主義同盟	1.10　国際連盟成立 9月　東方諸民族大会 10.2　朝鮮で間島事件〔朝鮮・豆満江北方の中国吉林省間島で抗日パルチザン運動。日本軍はこれを口実にシベリアに革命干渉戦争遂行および朝鮮・南「満州」支配確保のため出兵〕 12.4　統一ドイツ共産党結成。独立社会民主党左派と合同し、30万党員となる（VKPD）
1921		7月　神戸三菱造船所、川崎造船所、団交権を要求して3万8000名スト〔戦前最大の争議、「工場管理戦術」で闘う〕 10月　友愛会、「日本労働総同盟」と改称	5月　同盟解散させられる 8.21　暁民共産党結成〔近藤栄蔵ら9名〕	1.21　イタリア共産党結成 3.8～16　ロシア共産党第10回大会、新経済政策（ネップ）採択 5.5　中国で広東政府成立（総統孫文） 6.22～7.13　コミンテルン

日本共産党	社会運動	国内情勢	国際情勢	
	＊この年、争議件数246件、参加人員5万8225名、大工場での争議激発を示す		第3回大会 7.1～5　中国共産党創立大会、上海で開催 11月　ワシントン会議、海軍軍縮と極東問題解決	**1921**
1月　『前衛』［ボルシェビズムで一致する古参「主義者」と新人社会主義者との共通の理論機関紙となり、日本共産党の結成にいたるまで中心的な役割はたす］ 1～2月　極東民族大会開催［議長・ジノビエフ、執行委員・カリーニン、サファロフ、片山潜、ブハーリン。日本からは、徳田球一、高瀬清ら4名が出席。総数150名。この大会で日本の共産主義グループは片山潜を中心とする在外日本人社会主義者のグループと結合し、ブハーリン作成の綱領草案を基本として日本共産党の結成をはかることを確認］ 3月　「日本共産党結成準備会」開催［委員は、山川均、堺利彦、橋浦時雄、高津正道、近藤栄蔵］ 5月　日本の共産主義グループはメーデーに「労農ロシアの承認」をかかげる 6月　「対露非干渉同志会」結成［対ソ非干渉をロシアの大飢饉救済運動と結びつけて行われる］ 7.15　日本共産党結成［委員長・堺利彦、主な党員は、市川正一、上田茂樹、国領伍一郎、野坂参	4月　総同盟関西労働同盟会第5回大会、「名実相伴う全国総同盟を組織することを本部に提案する」、そのために「総同盟の解体も敢えて辞せず」を決議［軍縮により失業の不安が強まるとともに、軍工廠などで首切り、賃下げが強行され、労働者は自らの生活防衛と階級的成長とから、労働戦線統一を提起］ 5月　総同盟中央委員会、5回大会決議を受け「既成組合の自治を侵さざる範囲に於て総連合を組織すること」、総同盟を解体せず連合組織による統一をめざすことを決定［総同盟と反総同盟系組合には、アナ・ボ	3.3　全国水平社結成 4月　日本農民組合結成 8月　本所車輌工のストライキに対し総同盟右派はスト破りを行う	1.12～3.8　香港で海員と港湾労働者の大スト 2月　イタリア労働同盟（反ファッショ連合）結成 2.27　孫文、北伐を宣言［4月には第1次北伐開始］ 4.2～5　3つのインターナショナル予備会議［ベルリン、第2インター、第2半インター、共産主義インターの各代表が出席］ 4.3　スターリン、レーニンに代わって党書記長に選出さる 4.26　中国で奉直戦争始まる（反動軍閥同士の戦争） 5.1　中国・広東で第1回全国労働者大会 7月　上海で中国共産党第2回全国代表大会［党員数	**1922**

15

	日本共産党	社会運動	国内情勢	国際情勢
1922	三、徳田球一、山本懸蔵、渡辺政之輔、河田賢治、谷口善太郎、金子健太、川内唯彦、高瀬清、荒畑寒村、山川均、赤松克麿、猪俣津南雄、近藤栄蔵、佐野学、鍋山貞親、高橋貞樹ら。 　日本共産党創立の意義について市川正一は、「第1には、プロレタリアートの世界党の1支体としての日本共産党の創立によって日本のプロレタリアートは国際的プロレタリアートにかたく結びついた。第2には、なんらの職業的なまたは宗派的な集団でなくして、かえって職業的な集団を克服して、プロレタリア階級全体のための闘争、プロレタリア階級全体の利益を代表する政党として、はじめて日本共産党ができた。第3には、一切の改良主義的、議会主義的な幻想に反対し、プロレタリア独裁のための闘争にプロレタリアートを意識的にむけるようになった。最後に、日本ブルジョアジーの法律に束縛されない非合法的な党として、ブルジョアジーが解散することのできない党として、はじめて日本のプロレタリアートはこういうものをもったのである」と述べている] 8月　山川均、「無産階級運動の方向転換」を『前衛』に発表[1、労働組合の革命意識の成長した小数分子は、遅れた大衆の中に帰るべきである。そしていかにして大衆を動かすべきかを学ぶべきである。2、観念的な革命意識への自己陶酔を揚棄して、大衆の現実的な要求を代表した大衆的な運動	ル対立や組合幹部間の対立とも結びついた根強い対立があり、総連合運動はこうした矛盾を内包しつつ進められていった] 9.30　「労働組合総連合協議会」開催[アナ・ボル組織方針（中央集権組織と自由連合組織）で対立流会し、総連合運動挫折（於、大阪） 10月　総同盟11周年大会開催[資本家階級の打倒と労働者の完全なる解放を労組の実力をもって行うこと及びILOを有害無用なものとして壊滅すべきものであることを決議] ＊この年、争議件数250件参加人員4万1503名、そのうち賃上げ要求71件、時短要求11件に対し、賃上げ反対67件、解雇退職手当、復職要求29件と防衛的要求が激増し、しかも要求貫徹40件、不貫徹103件、妥協70件と圧倒的困難な事態に直面		123名。第1回大会では党員数57名、代表12名。コミンテルン加盟を決議するとともに、民主主義革命の任務を提起] 9月　中国・安源炭鉱の2万人スト、勝利 10.28　イタリア・ファシスト党ローマに進軍、10.31ムッソリーニ内閣成立 11.5〜12.5　コミンテルン第5回大会[58の各国共産主義諸組織を代表して代議員402名が参加] 12.30　第1回全連邦ソビエト大会、ソビエト社会主義共和国連邦樹立を宣言

日本共産党	社会運動	国内情勢	国際情勢	
に前進すべきである。3、消極的な政治否定から、積極的な政治対抗へ、すなわち無産階級政治運動に戦線を拡大すべきである。4、階級闘争の伝統に立脚して、大衆の日常的要求の闘争に参加・指導し、組織の大衆化への途をすすむべきである] 8月　渡辺政之輔、「南葛時報社」創立、「南葛時報」を創刊、南葛労働協会結成［発起人11名。ボルシェビズム的組織をめざす] 11月　コミンテルン4回大会に高瀬清派遣、日本共産党の成立を報告［日本共産党、コミンテルン日本支部として承認さる。また、新たに日本問題委員会が設けられ、日本共産党綱領が起草される。片山潜はコミンテルン執行委員会幹部会員に選出]	する] ＊この年「過激社会運動取締法案」が国会で廃案となる			1922
2月　日本共産党第2回大会開催 「レフト」結成準備会開催［レフトとはモスクワのプロフィンテルンに加盟した労働組織] 3月　日本共産党臨時大会開催［東京・石神井で、徳田球一らがモスクワからもちかえったブハーリン作成の綱領草案を討議、草案は審議未了] 4月　「赤旗」創刊［8月、廃刊] 6.1　「レフト」機関雑誌『労働組合』発刊 6.5　日本共産党第1次弾圧、約100名逮捕さる 9.1　関東大震災［東京に戒厳令、数千名の朝鮮人が虐殺される。また、平沢計七、河合義虎らの社	2月　野田醤油争議2000名スト、子弟同盟休校 9.1　関東大震災［当時最も戦闘的といわれた南葛労働協会の活動家9名虐殺さる（亀戸事件）。大震災の弾圧を契機に、総同盟右派の鈴木、松岡、西尾らは山川の「方向転換論」を理論的武器にし、総同盟を「現実主義」―労資協調へ方向	9.1　関東大震災 亀戸事件［朝鮮人数千人虐殺さる] 9.3　朴烈大逆事件［皇太子殺害計画のデッチ上げ] 12.27　虎ノ門事件［難波大助、裕仁暗殺に失敗。内閣総辞職]	1.26　上海で孫文・ヨッフェ会談［ヨッフェ、「統一の成功と、独立の獲得」にソ連の援助を約束] 2.7　京漢鉄道ストに軍閥が介入、組合指導者数十人を殺害、数百人を負傷させる（2.7事件） 2.21　孫文、広東政府樹立 4～8月　ドイツで労働者のデモとスト激化、10月に	1923

17

	日本共産党	社会運動	国内情勢	国際情勢
1923	会主義者や共産主義者が軍隊に虐殺され（亀戸事件）、9.16 無政府主義者大杉栄、伊藤野枝らが甘粕正彦憲兵大尉に殺される。南葛労働協会の幹部がほとんどこのとき殺された］ 12月　渡辺政之輔、仮出獄	転換させるべく狂奔し、左右の対立は激化していく］		は一部地方で左翼連立政府成立 6月　広州で中国共産党3全大会［党員430余名を代表して30人が出席。国共合作の方針を決定］
1924	2.17　日本全労働組合、青山で亀戸事件犠牲者の合同葬 2.22　渡辺政之輔、南葛労働者の残存同志を糾合して東京東部合同組合を組織、総同盟に加入 2月　党解体、ビューロー（委員会）残す。総同盟内左派フラクション「レフト」解体［神山茂夫は「これを客観的にみれば一斉検挙と震災による大弾圧におびえた解党論、ということになる。コミンテルンの反対にもかかわらず、日本共産党は一方的に解党を宣言して解党してしまった。当時この解党に反対したのは荒畑寒村ただ1人で野坂参三のごときはその解党論の急先鋒であった。市川正一、徳田球一君その他もすべて、解党論に追随していた」とのべている］ 3月　「産業労働調査所」設立［野坂参三が中心となって日本の政治、経済の分析と世界の労働運動、共産主義運動の紹介をおもな任務とした］ 5月　研究雑誌『マルクス主義』創刊［1929年の4.16弾圧まで党の合法的な理論機関誌の役割を	2月　総同盟第13周年大会にて谷口善太郎、国領伍一郎両名起草の「方向転換」を基調とする大会宣言を可決［左右両派はともに山川の「方向転換論」をもとにし、右派は「現実主義」―改良主義への方向転換を、左派は労働者大衆と前衛分子との結合強化への方向転換をめざし、宣言は左派の主張をほぼ認める形で成立した］ 4月　関東鉄工組合大会で左派の河田賢治が主事に選出さる［13周年大会直後、東京東部合同労組（旧南葛労働協会）等左派系6組合が総同盟に加入、このた	3月　新潟木崎村小作争議 6.10　東大セツルメント、本所に開設 11.22　軍事教練反対の学生デモ文部省坐り込み	1.20　国民党第1回全国代表大会、第1次国共合作なる［孫文、連ソ・連共・農労援助の3大政策提唱。共産党から李大釗ら3名が中央執行委員、毛沢東ら4名が同候補に選出される］ 1.21　レーニン死去 5.31　中ソ国交回復協定調印 6.17～7.8　コミンテルン第5回大会 9.18　孫文、軍閥打倒の北伐開始を宣言（第2次北伐宣言） 11月　ドイツ共産党、非合法化される 11.26　モンゴル人民共和国

日本共産党	社会運動	国内情勢	国際情勢	
はたす］ 6月　荒畑寒村、日本共産党の解党をコミンテルンに報告［コミンテルンは解党決議の取消しと即時党再建を指令］ 12月　福本和夫、論文「経済学批判のうちにおけるマルクス『資本論』の範囲を論ず」発表	め左派の比重高まる］ 10月　関東同盟会大会で右派の一方的議事運営に怒った渡辺ら左派の一部退場［大会後、右派の同盟会理事会、東部合同等5組合の除名強行、除名組合は「総同盟関東地方評議会」結成］		成立	1924
1月　上海会議1月テーゼ［コミンテルン側から、ボイチンスキー（極東部長）、ヘラー（プロフィンテルン代表）日本共産党ビューローから、佐野学、荒畑寒村、徳田球一、佐野文夫、青野季吉が参加］ 〈決定事項〉1、解党派、理論の根本的誤謬を認め、これによって生じた一切の弊害をただちに除去すること。2、党再建に関するテーゼ決定。3、週刊新聞を直ちに発行すること。4、「ビューロー」に労働者を参加せしめ、これを拡大し、ただちに「グループ」建設の準備を開始すること。5、労働組合運動、農民運動については従来行動派のとっていた方針と、右作成にかかわる「テーゼ」精神にしたがって運動を拡大すること。 1月テーゼにもとづく組織テーゼ、政治テーゼ、中心スローガン 〈組織テーゼ〉1、工場細胞を基礎として労働者	3月　総同盟第14周年大会［左派組合は総同盟の半数を占めるに到り、右派は除名案をとおすことができないことから、中央委員会でも除名できるよう規約改正を提案（提案者・谷口）し、満場一致で可決］ 3.27　総同盟中央委員会で鍋山貞親、辻井民之助、中村義明、山本懸蔵、杉浦啓一、渡辺政之輔の6名の除名を提案するが、3分の2に達せず廃案。 　鈴木、松岡らは関東地方評議会の解散、機関紙の発行停止処分を決定	1.24　軍事教練反対学生1000名デモ、9名検挙さる 2月　各地で治安維持法反対民衆大会 3月　治安維持法、普選法と抱き合せで成立 4月　全国中等学校に軍事教練実施 6.17　大阪黒社幹部、治安維持法で初検挙 新潟小作争議再び激化 8.10　無産政党組織準備協議会開催［日農提唱］ 10.15　小樽高商、軍事教練反対闘争 12月　総同盟、無産政党組織協議会より脱退、日農を	1月　上海で中国共産党4全大会 1.15　ソ連最高人民委員会、トロッキーを解任 2.9　上海の日本人紡績工場でスト、全国に波及（〜3月） 3.12　孫文死去 4.17　朝鮮共産党創立［数次にわたる徹底的弾圧と内部闘争のため壊滅的打撃を受け、1928年12月コミンテルンが承認を取消して以後は公式には解消。その後何度か党再建がはかられたが、弾圧が強く実現されなかった。1926年、純	1925

19

	日本共産党	社会運動	国内情勢	国際情勢
1925	農民の大衆団体の間にフラクションを形成すること。2、現在のコミュニスト・グループは少数にしてかつ分散的であるから工場職場および街頭細胞を再組織すること。3、会費の納入を厳格にすること。4、中央委員会は大会と大会の間の細胞機関であって党務の一切を統轄すること。5〜7略 〈政治テーゼ〉1、社会改良主義（赤松克麿一派）日本フェビアン協会（安部磯雄）を無産政党運動より放逐。2、あらゆる宣伝、組織的方法をもって大衆を動員すること。3、労働者教育協会、水平社青年同盟、無産青年同盟、左翼労働組合を結合して無産政党内に共産主義の分派をつくること。 〈中心スローガン〉1、帝国主義戦争の打破。2、朝鮮その他植民地の解放。3、8時間労働制の確立。4、18歳以上の普通選挙。5、治安維持法の廃止。6、労働者農民の政府樹立。 5月　上海でヘラー・テーゼ［ヘラー、渡辺政之輔、佐野学、徳田球一の4人が労働組合内に日本共産党のフラクションを形成する方策について協議、佐野学の供述によると、その内容は、1、左翼組合は総同盟から脱退せず、その中に踏留るべきこと。2、総同盟外の左翼組合を統一運動にひきいれること。3、総同盟幹部の左翼除名に反対すること。4、工場委員会は組織を強化ならしめ	4月　西尾末広会長代理の名で関東地評を除名 左派はビューローの直接指導により「日本労働総同盟革新同盟」を総同盟刷新派25組合の連絡機関として組織、全国的に総同盟刷新運動を展開 5.16　総同盟中央委員会、9対2の多数で革新同盟傘下の全組合を除名 5.24　革新同盟の全国大会は「総同盟の除名をむしろ光栄とする」として「日本労働組合評議会」を結成（第1次分裂）［評議会の結成大会は綱領、規約、宣言を採択、野田律太を委員長に選出し、日本における左翼労働運動の出発点となった。評議会32組合、1万2505人、総同盟35組合、1万3110人］ ビューローの方針は、分裂を避け革新同盟を総同盟内左翼として永続的組織と	中心に農民労働党結成、即日禁止 12.1　社会科学連合会加盟の京大、同志社大生38人検挙［軍事教練反対闘争の中心を治安維持法で弾圧］	宗の葬儀を機会として京城（ソウル）市民数万を動員して行われた反日デモ（6.10万歳運動）は朝鮮共産党が指導した最も大規模な大衆運動］ 5.1　中華全国総工会 5.14　上海の紡績工場スト再開、5.15労働者虐殺事件起こる 5.25　青島の日本紡績工場で第2次スト、5.28日本軍と軍閥スト弾圧、死者8名（青島虐殺事件） 5.30　5.30事件［上海の共同租界で学生・群衆に英警官隊が発砲、死者13人］ 6.1　上海の労働者・学生・商人、5.30事件に抗議スト開始、6.19香港労働者、上海の反帝運動に呼応してゼネスト（〜26年10月） 6.23　沙基事件（広東）［英仏陸戦隊がデモ隊を襲撃］ 7.1　広東に国民政府成立

日本共産党	社会運動	国内情勢	国際情勢	
る基礎であるから強化すること]	し、左派の側へ大衆獲得す			1925
8月　ビューロー会議開催［出席者、佐野学、渡辺	るという方針であったが、			
政之輔、間庭末吉、北浦千太郎、荒畑寒村、徳田	革新同盟は評議会結成を決			
球一。徳田・委員長、渡辺政之輔・組合部長］	議した］			
10月　福本和夫『マルクス主義』で山川主義批判	9.21　労働組合評議会の招			
12月　徳田をソビエトに派遣するについてのビュ	待でレセプら来日			
ーロー総会［中心議題は無産政党問題］				
1月　コミンテルン・プレナム、日本委員会を開催	1〜4月　共同印刷スト、評	3月　労働農民党結成	1.4〜19　中国国民党第2	1926
［ボイチンスキーが日本問題に関するテーゼを執	議会が指導	5.5　新潟木崎村小作争議激	回全国代表大会	
筆。ボイチンスキー、ロイ・ベッパー、片山潜、	4〜8月　浜松日本楽器、	化、警官隊と衝突［この年	3.18　3.18事件［中国・段	
徳田球一の5名で小委員会がもたれ日本問題が	150日におよぶスト、評議	小作争議2713件、参加農	祺瑞政府が民衆の抗日運動	
討議される。また極東部内の1つになっていた	会が指導	民15万余人に上る］	に発砲］	
日本を独立させて日本部を設立。ここで、次の「グ	12.8　総同盟第2次分裂、	5月　暴力行為等処罰に関す	3.20　中山艦事件［蔣介石、	
ループ」に関する指令が出される。1、山川、堺	中間派が「日本労働組合同	る法律公布	中山艦艦長李之龍ら共産党	
の解党主義、合法主義と闘争すること。2、グル	盟」結成［麻生久、河野密、	5.29　文相、学生の社会科	員を逮捕。	
ープ活動をボルシェビキ化すること。3、グルー	加藤勘十ら中間派が日本労	学研究の絶対禁止を通達	中山艦事件以後、コミンテ	
プを拡大するとともにコミンテルンの方針にもと	農党を結成するとともに、	9月　議会解散要求運動	ルン代表ボローディンと中	
づき工場細胞を建設し、党をその基礎の上におけ。	自己の支持基盤である労組	11.12　水平社、福岡連隊差	国共産党との広東会議、コ	
5、秘密出版を精力的に行うこと。6、グループ	を組織。これにより、日本	別糾弾闘争［松本治一郎ら	ミンテルンは蔣介石との妥	
は労働組合、農民組合、労農政党、青年団体、学	の労働運動を3分する左、	幹部17人検挙さる］	協を主張するが、中国共産	
生団体に党のフラクションを形成し、厳密に党的	右、中間の3派が形成さ	12.5　社会民衆党	党側は国共合作の見直し、	
行動に移れ。7、次のコミンテルン・プレナムま	れる］		党内合作の中止と党外合作	
でにグループは成員を拡大し、党創立大会を開き	＊この年3月頃、東京合同		を主張するも、コミンテル	
それを報告すべきである］	木材支部が中心となって、		ンは拒否］	
3月　佐野学、下獄	木材工場代表者会議が数回開か		5月　朱鐘建、「進め」誌上	

	日本共産党	社会運動	国内情勢	国際情勢
1926	5月　福本和夫、個人雑誌『マルキシズムの旗の下に』創刊［福本主義は山川主義における清算主義と合法主義という致命的な弱点をつきあげ、かわって独自の「分離結合論」と「理論闘争主義」の2つを前面に押しだした。それは理論闘争による革命分子の「結晶」を提起して、山川主義を左から右へ押しだし、党再建のための指導理論としての地位を確立した］ 6月　徳田球一、帰国、常任委員会で報告［下旬、拡大ビューロー会議開催、「コミンテルン」「プロフィンテルン」「キム」のプレナムで決定したテーゼを確認］ 7月　徳田球一、下獄、8月には渡辺政之輔、出獄 9月　党再建のため、第1回中央委員会開催［出席者、渡辺、佐野文夫、福本、北浦千太郎、中尾勝男］ 10月　第2回中央委員会開催［出席者、渡辺、佐野、福本の3名、北浦は欠席］ 11月　福本和夫、再建「宣言」の草稿完成［ソ連大使館のヤンソンは不満表明］ 12月　第3回党大会開催［中央委議長・佐野文夫、政治部長・福本和夫、組織部長・渡辺政之輔、無産者新聞主筆・佐野学、コミンテルン駐日代表・徳田球一を選出。福本主義を指導理論として党再建］ 12月　佐野文夫、渡辺政之輔、福本主義の評価をめぐってヤンソンと断交	れる。これは木材労働者の産別組合組織のためのものであるが、まだ工代会議本来の目的とはほど遠いもので、ストと結合した工代会議運動の出現は翌27年3月の金融恐慌以降になる。		で「日朝両プロレタリアートは同一の敵に当面し、また利害が全然一致する朝鮮プロレタリアートが、日本の同志に兄弟として期待するところは如何ばかり切なるものぞ。日朝の積極的な協同はかれらの解放の必須的条件であるばかりでなく、東亜の乃至は全世界のプロレタリア解放の前提である」と呼びかける［中村艦事件以後、コミンテルン代表ボローディンと中国共産党との広東会議。コミンテルンは蔣介石との妥協を主張するが、中国共産党側は国共合作の見直し、党内合作の中止と党外合作を主張するも、コミンテルンは拒否］

日本共産党	社会運動	国内情勢	国際情勢	
2月　佐野文夫、渡辺、徳田、福本の4名、コミンテルンと協議のため出発［これに先立ち、市川正一を中心とする留守中央部がつくられる］ 2.26　「無産者新聞」、山東出兵に即時撤兵を要求し、「対支非干渉同盟」結成を呼びかける 3月　「無産者新聞」、生活防衛の大闘争呼びかける 4月　コミンテルン、日本問題委員会で山川主義、福本主義を批判［山川主義が共産党を労働組合の左翼や広範な単一労農政党のなかに解消し、党の革命的役割を代行しうるかのように主張することによって清算主義と日和見主義の誤りを犯しているとすれば、これを批判して分離結合論と理論闘争主義をとなえる福本主義の理論は反対の偏向である宗派主義の誤りにおちこんでいる。即ち、福本主義は、純思想的要因だけのいきすぎた強調と政治経済的要因の完全な無視とに結びついている。それは理論闘争を重視して革命的大衆闘争を軽視し、知識分子を偏重して労働者大衆から遊離し、党を主としてインテリゲンチャたる「マルクス主義的に思考する人々」の集団とみなして、労働者階級の闘争組織でないとする思想に導いている。かくしてそれは、党を大衆から切り離し、大衆組織から孤立させ、大衆党としての共産党の事実上の破滅に導くものである。……人為的につくりだした抽象的観念から出発する福本主義は、レーニン主義とは根本的に矛盾するものであり、い	1月　神戸工代会議、5分間の示威的スト 4月　東洋モスリン、富士紡、安川電機、芝浦電気等の争議にストライキ委員会組織さる 5〜6月　乾鉄線争議［日朝労働者の共同闘争によって支えられ、その後、在日朝鮮人労働者との連帯の礎石となる］ 9月　山一林組製糸スト［町をあげて争議側に家を貸すことを拒否するなど、地域住民の争議への敵対が敗因の1つとなる］ 9月〜28年4月　野田醤油争議［右派の指導により、3400名が216日間の戦前最長スト突入。当初ストを支援した地域住民・農民は「正義団」を組織して会社側の組合つぶしに協力、農民青年・町民は工場再開の際、大量に工員に応募し、争議敗北の大きな要因とな	1月　日本水平社結成［全国水平社の右派分裂］ 1.7　愛知犀川切落し反対農民3000名県庁ヘデモ［2百余人検挙］ 3月　全日本農民組合結成　日本農民総同盟結成 5.28　第1次山東出兵［31日、対支非干渉同盟結成さる］ 6.1　立憲民政党結成［浜口雄幸総裁。保守2大政党対立の出現］ 11.19　水平社、北原泰作、天皇へ差別糾弾の直訴［懲役1年］	1.4　武漢民衆、漢口英租界奪回、1.16　九江英租界も奪回 3.21　上海で労働者蜂起、26日、国民革命軍が上海占領 4.12　蔣介石、上海で反共クーデター［共産党員多数を虐殺、上海総工会を占領。これに先だち、北京では張作霖が共産党員多数を逮捕、中国共産党創立者の1人李大釗も銃殺さる］ 4.18　蔣介石、南京に国民政府樹立 4.27　中国共産党、武漢で第5回全国代表大会［党員57967名。その後1年半で半数近くに激減］ 7.15　武漢政府、中国共産党との分離を決定 8.1　南昌蜂起［周恩来、朱徳、葉挺、賀竜ら、中国共産党影響下の部隊3万余を率いて、江西省南昌で武装蜂起。5日南昌を放棄し	1927

	日本共産党	社会運動	国内情勢	国際情勢
1927	わばレーニン主義の戯画にほかならない〕 7月　27年テーゼ（日本問題に関する決議）採択〔起草者・ブハーリン。テーゼは、日本においては、当面のブルジョア民主主義革命を急速に社会主義革命に転化するという観点に立ち、13の要求項目を並べ、そのなかに君主制廃止をかかげる。また、山川、福本主義を批判し、誤りと規定。日本問題委員会はインテリ1、労働者2の比率で中央委員会を任命、メンバーは渡辺政之輔、鍋山貞親、佐野学、市川正一、荒畑勝三、杉浦啓一、松尾直義の7名。福本、徳田、佐野文夫も署名をさせられる〕 11月　渡辺政之輔帰国 12月　拡大中央委員会開催〔渡辺がコミンテルンの方針を説明、「福本イズム」を克服して「テーゼによって党活動を進める」ことを報告、承認さる。常任委員＝渡辺、鍋山、佐野学、中尾勝男、市川。委員長＝佐野学〕 12月　『労農』創刊〔党中央への反対分子たる堺、山川、荒畑、猪俣、大森ら、コミンテルンで福本主義が批判されたのを機会に『労農』を創刊、ここで日本の当面の革命を「帝国主義ブルジョアジーの打倒を目標とする社会主義革命」と規定する戦略を展開〕	る〕 3月に勃発した金融恐慌のなかで、この年スト件数、参加人員は減少し後退気味の反面、局部的には長期的かつ防衛的な闘いが激化し、中小零細経営の非熟練労働者、とりわけ朝鮮人労働者を原動力とする争議が激発した。また、工代会運動が全国的に波及し、産別ゼネストへまで発展した		広東へ〕 8.7　中国共産党中央委緊急会議〔革命の失敗を招いた右翼日和見主義が批判され、陳独秀は指導者の地位を退く。会議はこれまでの土地問題の過小評価を批判するとともに、労農革命軍の建設を強調、秋の収穫期の農民武装蜂起を決定〕 10月　毛沢東、井崗山に革命根拠地建設 11月　コミンテルン、台湾共産党結成を指令 12.2～19　ソ連共産党第15回大会開催、第1次5カ年計画採択。トロッキー、ジノビエフらを党から除名 12.11　中国・広州市で武装蜂起（広東コミューン）、13日壊滅

日本共産党	社会運動	国内情勢	国際情勢	
2月　山川均を除名 山本懸蔵、徳田球一など11名の党員が労働農民党から立候補、選挙戦のなかで、君主制の廃止、民主共和制の樹立、18歳以上の男女の普通選挙権、言論・出版・集会・結社の自由、8時間労働制、大土地所有の没収、帝国主義反対・植民地独立などの政策綱領を示し、党の政策を広く訴える独自の大衆宣伝活動を展開するとともに、働く者が真の国の主人公となる民主共和制のもとでの民主的議会樹立を呼びかける］ 2月　渡辺政之輔、党委員長となる 「赤旗」復刊 3月　野呂栄太郎著「日本資本主義発達の歴史的諸条件」 3.15　共産党第2次弾圧（3.15事件）、1600名逮捕される 3月　「全日本無産者芸術連盟」（ナップ）結成 4月　解放運動犠牲者救援会結成 5月　日中共産党共同宣言［国内で日本共産党と階級的諸団体を圧迫して人民の口を封じつつ、中国侵略を強行している日本政府の反動と侵略の政策を糾弾し、共同の敵日帝に反対する日中両国人民の国際的連帯呼びかける。日本からは佐野学出席］ 7月　佐野学、市川正一、山本懸蔵、第6回世界共産党大会出席 10月　国領伍一郎逮捕	4.10　評議会、労農党、無産青年同盟に治警法第8条により結社禁止令くだる 6月　日本海員組合1800名スト、最低賃金制確立 12.12　「日本労働組合全国協議会」（全協）結成［全協は「我国唯一の革命的労組－赤色労働組合」として結成され、プロフィンテルンに加盟するが、非合法状態となり共産党の極左方針とセクト主義によって孤立していく。29年8月頃、内部対立もおこり、43年頃には事実上消滅］ ＊27～28年の3次の山東出兵に左派評議会は労農党、日農とともに対支非干渉全国同盟を結成し、帝国主義戦争に反対し、組合同盟、社会大衆党等も出兵反対をかかげ、左派との統一行動するが、その論理は民族排外主義に貫かれていた	2.20　第1回普通選挙［山本宣治ら無産政党から8人当選］ 4月　無産青年同盟禁止 4.18　河上肇、京大から追放される 6.29　治安維持法改悪［死刑、無期追加］ 治安維持法によって1945年までに数十万人が検挙され1600名が獄死、90名が虐殺された 7.3　特別高等警察設立の勅令公布即日施行［全国に特高網完成］ 7月　憲兵隊思想係設置	1.4　ソ連で土地所有禁止法案発表（コルホーズ化） 4.7　国民党、第2次北伐開始 4月　朱徳・陳毅・林彪らの紅軍、井崗山の毛沢東軍に合流、5月、紅軍第4軍を編成 4月　台湾共産党結成（上海）スローガンに1、日帝放逐！2、土地改革！3、独立民主政府樹立！をかかげる 6.4　関東軍、張作霖を爆殺 6.8　国民党軍、北京入城 7.3　中国共産党第6回全国代表大会（モスクワ） 7.17～9.1　コミンテルン第6回大会 9月　朝鮮・元山近くの文坪石油会社で日本人監督が朝鮮人労働者に暴行を加えたことでスト 9.28　トロツキー、コミンテルン執行委員会から除名される 10.1　ソ連第1次5ケ年計	1928

	日本共産党	社会運動	国内情勢	国際情勢
1928	渡辺政之輔、台湾・基隆で警官隊に襲われ自殺 市川正一帰国、党中央を再建			画実施 10.8　蔣介石、国民政府主席に就任
1929	1月　「第56回帝国議会と日本共産党スローガン」発行［帝国主義戦争と専制政治に反対し、平和と自由、生活改善をめざす闘争を呼びかける］ 3.5　山本宣治、暴徒に刺殺さる 3月　『マルクス主義講座』13巻刊行。大山郁夫、河上肇監修 4.16　第3次共産党事件（4.16事件）［幹部の基本的部分が根こそぎ拘束され、党は決定的打撃を受ける。検挙者700名］ 6月　中央ビューローを組織［佐野博、田中清玄ら］ 7月　「赤旗」復刊 8月　大山郁夫ら新労農党樹立の提案 10月　「プロレタリア科学研究所」設立、諸科学のマルクス研究発表 12月　党指導部、武装蜂起の方針提起［世界大恐慌のあおりをうけて日本も恐慌になり、そのなかで東洋モスリン、鐘ケ淵紡績、東京市電などの大企業でスト続発。指導部はこれを革命的情勢と規定、武装蜂起の方針を提起、全協だけでなく反帝同盟その他までもまきこむ］	9月　総同盟第3次分裂、中央の極右改良主義に反対派「労働組合全国同盟」結成 12月　東京市電ゼネスト 　全協は4.16検挙によって大打撃を受けるが、経済不況と10月の世界恐慌による賃下げ、大量解雇、「合理化」に抵抗する労働者の防衛的な闘いの激発を総同盟や全労が一切指導できないなかで、全協は旧評議会の行動力と戦闘性を発揮し再建されていく。28年のプロフィンテルン第4回大会決定に従い、29～30年秋、「在日本朝鮮労働総同盟」（労総）の全協への合流が実行され、在日朝鮮人多数が組織される 12.14　労総全国代表者会議（於大阪）にて合流が決定	7月　前年の張作霖爆殺事件の責で内閣総辞職 9.4　全国反戦同盟、国際反帝闘争デー銀座デモ［朝鮮、中国、日本3国の活動家60名検挙］ 11月　大山郁夫、新労農党結成。反戦同盟、反帝同盟日本支部へ発展 12.9　政府「産業合理化要綱」公布し、労働運動の弾圧を強化する	1月　トロッキー、国外追放 1.14　朝鮮・元山労働者連合会、文坪石油会社の労働者を支援してゼネスト［元山を中心とする経済活動は完全にマヒ。4月まで78日間スト堅持。小樽、神戸の日本人労働者同情スト］ 6.3　日独伊、中国国民政府を承認 8月　中国各地で反蔣運動 10.24　ニューヨーク株式市場の大暴落、経済恐慌 11.3　朝鮮・光州で学生・労働者抗日デモ各地に波及

日本共産党	社会運動	国内情勢	国際情勢	
5月　武装メーデーを全国に指令［川崎などで武装メーデー］ 党指導部壊滅 「第2無産者新聞」「労働新聞」に指導部が自己批判発表 6月　佐藤秀一、神山茂夫ら、指導部の誤りを理由に「全協刷新同盟」結成 8月　「新興教育研究所」創立［プロレタリア教育を目的とする］ プロフィンテルン第5回大会開催［極左冒険主義の誤りが批判され、刷新同盟の解散決定］	4〜6月　鐘紡操短減給反対で3万5000名スト突入、敗北 6.10　神山茂夫ら全協反中央部派、「全協刷新同盟」結成［革命的大衆闘争をめざして分派闘争を展開。プロフィンテルンの両者への批判によって、中央は形式的に自己批判、刷同も自ら解体］ 6月　「全国労働組合同盟（全労）」結成 9〜11月　東洋モスリン亀戸工場2004名スト［中間派の指導により市街戦を展開］	1月　ロンドン軍縮会議 5.10　婦人公民権案、衆院で可決 7月　全国大衆党結成［中間3派合同］ 8月　農業恐慌［豊作飢饉と大凶作、身売り続出］ 11.14　浜口首相狙撃さる。軍部専横の兆、この年失業者300万人	1.21〜4.22ロンドン軍縮会議 2.3　ベトナム共産党（のち労働党）創立 5.30　中国共産党の指令により間島蜂起、失敗 6.11　中国共産党中央政治局、李立3コースを決議 7.27　長沙ソビエト樹立、8月、敗北 8.17　スペインでサン・セバスティアン会合［共、社、労働総同盟などの代表により、共和制樹立のための革命委員会結成］ 10.27　台湾霧社住民が圧制に抗し蜂起、1000人虐殺される 12.27　蔣介石軍10万、第1次紅軍包囲戦	1930
1月　中央ビューロー再建［風間丈吉を責任者とし、岩田義道、紺野与次郎らで構成］ 1月　「赤旗」復刊 3月　野坂参三、コミンテルンへ派遣さる 4月　「日本共産党政治テーゼ草案」発表［現在の国家権力を「資本家のヘゲモニー下の資本家・地	2月　芝浦製作所1200名合理化反対闘争、敗北 4月　「日本労働組合総評議会」結成 4〜7月　全労最大拠点住友製鋼所争議敗北、組織壊滅	1月　日本農民組合結成［右派農組の統一］ 3月　3月事件［陸軍青年将校桜会の反乱計画、上部の動揺で頓挫］ 4.13　浜口内閣総辞職。第2	1月　中国共産党第6次4中全会、陳紹禹（王明）らの極「左」日和見主義路線採用 4.12　スペインの地方選挙、共和派勝利、14日国王亡命	1931

	日本共産党	社会運動	国内情勢	国際情勢
1931	主のブロック権力」と規定し「金融資本の独裁」を前面におしだす。また、革命の性質は「ブルジョア民主主義的任務を広範に抱こうするプロレタリア革命」と規定] 7月　市川正一「日本共産党闘争小史」発表［この戦略的見地は、金融資本独裁に対する社会主義革命の立場であり、日本共産党は天皇制ではなく資本家と対決して成立したと規定] 8月　反戦デー［日本軍隊の「満州、朝鮮および台湾からの即時召還、帝国主義戦争反対、中国への介入中止をよびかける] 10月　ナップ解体 11月　「日本プロレタリア文化連盟」（コップ）結成	6月　「日本労働クラブ」結成 9.28　立石および山田絹織物工場の罷業労働者が反戦デモ、検挙者30名 11月　評議会と全協、「関東労働組合統一協議会」結成 ＊この年、争議件数998件組合組織率9％といずれも戦前最高。「満州事変」に対して、全協は帝国主義戦争反対のスローガンをかかげ反対闘争をすすめるが軍国主義高揚のなかで孤立し、治維法による弾圧がこれに追いうちをかけ壊滅していく。全労など中間派は山東出兵の際と同様の立場をとり、戦争の進展につれ軍部を反資本主義勢力と評価、軍との同盟が資本主義打倒の社会改革の道だと主張するにいたった。右派総同盟は組合組織維持に全力をあげ、スト絶滅を宣言し、国防献金運動を行うなど帝国主義戦争に全面的に協力していく	次若槻内閣 7月　全国労農大衆党結成 全農全国会議結成［左派農組の結集] 8月　中村大尉虐殺事件［満州占領の陰謀] 9.18　「満州事変」起る［関東軍による武力占領全「満州」に及ぶ] 10.1　10月事件［軍部反乱計画未遂に終る。桜会は皇道派と統制派に分裂] 12月　犬養政友会内閣［最後の政党内閣] 金輸出再禁止。東北地方冷害大凶作。	5.16　蔣介石軍20万、第2次紅軍包囲戦撃退さる 5月　中国トロツキストグループの統一戦線として「中国共産主義同盟」を結成 7月　蔣介石軍30万、第3次紅軍包囲戦、8月撃退さる 9.18　9.18事変（「満州」事変）、関東軍が柳条湖で満鉄線路を爆破、中国全土で抗日運動 9月　上海で抗日大集会 9.20　中国共産党、「日本帝国主義の東三省占領事件に関する宣言」発表、抗日を呼びかける 9.21　英国、金本位制廃止、以後各国もこれにならう 11.27　江西省に中華ソビエト共和国臨時政府（瑞金政府）樹立（主席、毛沢東） 12.12～16　スペイン、ハカ兵営で共和派蜂起

日本共産党	社会運動	国内情勢	国際情勢	
3月　コミンテルン「政治テーゼ草案」批判［コミンテルン執行委員会常任委員会会議でクーシネンは、それまでの討議を総括し、「日本帝国主義と日本革命の性質」について報告、そのなかで政治テーゼ草案の思想をレーニンのいう「帝国主義経済主義」の誤りをおかし、「トロッキー主義者におけると同様の結論」におちいったものであり、その社会主義革命戦略は「左翼的」誤びゅうであり、その基礎には、天皇制にたいする闘争の過小評価と農業革命のための闘争の過小評価がよこたわっていると批判］ 5月　「日本の情勢と日本共産党の任務にかんするテーゼ」発表［コミンテルン執行委員会西欧ビューローの名でだされ、新テーゼ作成には片山潜、野坂参三が参加。テーゼは「政治テーゼ草案」を決定的にくつがえしたばかりでなく、その戦略的批判の前提として、日本の天皇制の性質と役割の規定をうちだした。ここでは、相対的独自性をもつ絶対主義天皇制の意義をおしだし、天皇制国家機構の粉砕こそ日本における第1の主要な革命的任務とし、当面の革命の性質を「社会主義革命への強行的転化の傾向をもつブルジョア民主主義革命」と規定し、そこにおける共産党の独立性と労農同盟の必要性を強調している］ 5月　「日本資本主義発達史講座」、野呂栄太郎の指導で「32年テーゼ」を学問的に支持	3月　全協の指導で東京地下鉄155名、職場占拠スト、勝利 9月　「日本労働組合会議」結成（右派労組の大同団結） 9月　全協中央常任委指令［「全協当面の任務」で在日朝鮮人労働者の全協への組織化の方針を強調するとともに、ソ連邦擁護、朝鮮、台湾完全独立、天皇制廃止、ソビエト権力樹立を行動綱領に掲げることを決定。この年の「労働新聞」に「全協の合法性獲得のための一切の闘争を強化せよ」との論文が載せられたが、合法性獲得のための根本である綱領中の「天皇制廃止」のことは一切問題にせず、単なる技術上の問題だけを論じた。また、小津武紡争議等、在日朝鮮人の戦闘的な闘いは全協を支える大きな原動力となった］	1月　社会民主党、反ファッショ、反共、反資本主義を決定 1.20　「日本反ファシズム連盟」結成 1.28　上海事変［中国侵略の全面展開］ 2.9　血盟団事件（井上準之助暗殺） 3.1　「満州国」カイライ政権（溥儀執政） 3.5　団琢磨暗殺さる 4月　岩手県大船渡鉄道工事現場でヤクザが朝鮮人労働者のストライキを暴力弾圧し、3名虐殺さる 5.15事件　犬養首相、青年将校らに射殺さる 7月　大阪岸和田紡績堺分工場争議に対して権力は朝鮮人労働者を集中的に弾圧、200名不当検挙 8月　米よこせ運動全国化 8.4　九州飯塚麻生炭鉱、賃上げ、朝鮮人酷使中止を訴え長期ストライキ決行、官	1.28　上海事変、日本陸戦隊上海上陸 2〜7月　国連リットン調査団、日本の「満州」占領で、日本・中国調査 3.1　日本、かいらい「満州国」デッチ上げ 4.26　瑞金の中華ソビエト政府、対日宣戦布告 6.10　蔣介石、盧山会議開く［第4次掃共作戦・対日妥協政策決定］ 6.16　蔣介石軍50万、第4次紅軍包囲戦翌2月までこの年、中国東北では金成柱が金日成を名乗り、武装抗日遊撃隊を組織。長白山脈と松花江流域に根拠地を樹立、33年春には各根拠地に中朝両国人民の政権と抗日大衆組織を樹立、35年5月5日、朝鮮人民の抗日民族統一戦線組織「祖国光復会」（会長・自称金日成）結成、数カ月で20余万の大衆が結集したと伝	1932

	日本共産党	社会運動	国内情勢	国際情勢
1932	7月 「赤旗」に「32年テーゼ」発表 10月 大森ギャング事件（共産党員による大森の銀行襲撃事件） 10月 熱海事件 [「32年テーゼ」にもとづく運動方針の討議のため、熱海に集合した全国代表者会議のメンバー全員が逮捕。岩田義道は警察の拷問により虐殺さる。同時に、全国で1500名逮捕]		憲弾圧で60余名検挙さる 8.14 筑豊炭鉱で朝鮮人労働者1000名決起 [9月4日まで争議] 9.15 日「満」議定書調印 10月 大日本国防婦人会結成 [軍国主義化進む]	えられている 11月 中国共産主義同盟大弾圧受け指導部壊滅。中国トロツキストの運動は挫折
1933	1月 山本正美が党再建のためコミンテルンから派遣される 2月 「赤旗」侵略戦争反対を呼びかけ [「満州」を占領した日本軍は2月、熱河省に侵略を拡大し、さらに華北侵攻の準備を開始した。党は「赤旗」で華北侵略の危険を毎号訴え、その意図が中国革命の圧殺と中国の植民地化、対ソ戦争の準備にあることを暴露し、侵略戦争の拡大が国民を破局に導くことを警告] 2月 大阪事件 [1500名逮捕] 2.20 小林多喜二、赤坂付近で検挙され、築地署の拷問で虐殺さる 5月 山本正美、逮捕さる 野呂栄太郎、宮本顕治を先頭に「32年テーゼ」にもとづく党活動の拡大に努力 6月 佐野学、鍋山貞親「転向声明」発表、党より除名 7月 三田村四郎、高橋貞樹、風間丈吉、田中清玄	1月 東京市電争議5000名参加 2月 全協弾圧、中央は壊滅 5月 「関東労働組合会議」結成 [総評議会、全労統一全国会議、東京交通労組らによって結成され、6.10「反ナチス・ファッショ粉砕同盟」を結成] 6月 「日本産業労働倶楽部」結成 8月 日本労働総同盟ストライキ統制を決定 6月 三菱航空機名古屋製作所臨時工223名解雇反対スト 9月 全協行動綱領から「天皇制打倒」「ソビエト権力	3月 国際連盟脱退 4.22 京大滝川事件 [文部省、滝川幸辰教授を思想偏向として処分、学内外から反対運動、他に7名の教授追放] 7月 神兵隊事件 7.3 全国水平社、高松地裁差別裁判糾弾闘争 [身分差別を肯是した裁判長を退職に追い込む。36万人の部落大衆が闘いに結集]	1月 中国共産党中央は「満州情勢とわが党の任務」書簡で党満州委員会に送る 1.30 ドイツでヒトラーが首相となる [2月共産党弾圧開始、4月ユダヤ人弾圧開始] 2月 日本軍、中国・熱河侵入 3.9～6.16 米国でニュー・ディール諸法成立 8.13 蒋介石、廬山会議で対日抗戦回避を決定 9.30 上海で極東反戦反ファッショ大会 10.4 蒋介石軍100万、第5次紅軍包囲戦（～34年10月）

日本共産党	社会運動	国内情勢	国際情勢	
転向声明 11月　野呂栄太郎逮捕、宮本が党再建責任者となる 片山潜、死去 12月　宮本顕治逮捕［小畑、大泉両名に対するスパイ容疑査問の途中、小畑がショック死したことで、この査問の先頭にたっていた宮本が逮捕されたもの］	樹立」を削除 ＊この年、共産党の戦略変更に伴いプロレタリア文化運動の諸団体は天皇制打倒を公然化。文化運動は以後、急速に先鋭化して権力の集中的弾圧を受けた。コップは壊滅的打撃を受ける。		10.14　ドイツ、国際連盟脱退 12月　ヒトラー、ナチス1党独裁を確立	1933
1月　全党員の再登録［残された中央委員は袴田里見唯一人であった］ 2月　野呂栄太郎、死去 5月　「日本共産党中央奪還全国代表者会議準備会」結成［全農全国会議の宮内勇、日本消費組合連盟の山本らが中心。後にコミンテルンの批判を受けて解散］ 7月　野坂、米国で雑誌『国際通信』を発行	2月　プロレタリア作家同盟解散 9月　東京市電9900名2週間の全面スト 10月　海軍労働組合連盟、労働報国的新綱領決定 11月　「日本労働組合全国評議会」（全評）結成［合法的左翼組合の連合体として発足。高野実らが指導］	3月　武藤山治、暗殺さる 7月　帝人疑獄事件で内閣総辞職、岡田内閣成立 9月　猪俣津南雄「窮乏の農村」発表する 11月　士官学校事件［陸軍青年将校反乱計画］	10.15　中国紅軍、蒋介石軍の包囲網を突破し長征開始 10月　フランス共産党書記長トレーズ、人民戦線を提唱	1934

	日本共産党	社会運動	国内情勢	国際情勢
1935	2.20　「赤旗」停刊、第187号 3月　袴田里見、逮捕さる 5月　神山らが第1次再建運動、約100名が検挙 7月　コミンテルン、第7回大会開催［これまでの国際共産主義運動にあった、すべての社会民主主義政党をブルジョアジーの支柱として攻撃するセクト主義に根本的批判がくわえられ、ファシズムの台頭という新しい状況のものでの共産党と社会民主主義政党との共同をふくむ統一戦線の理論と実践の問題が全面的に提起された。日本からの出席者は野坂、山本、青年代表者・小林陽之助。野坂は片山にかわり、コミンテルン執行委員会幹部会員、市川正一は、執行委に選出される。多数派共産党は表面的に解散。実体は関西地方委として残存し、翌年の中央再建準備委へと引き継がれる］	6月　東京モスリン金町工場労働者反ファッショ・スト 7月　東京の昭和製作所700名、5割賃上げ、臨時工制度撤廃を要求しスト 11月　日本労働総同盟と全国労働組合同盟合同し「全日本労働総同盟」（全総）結成 ＊この年5月、政府、軍部はもともと最右翼であった海員組合さえ許容せず分裂を策し、分裂派は文字通りのファッショ組合「新海員組合」を結成	1月　天皇機関説弾圧さる 4.9　文部省、全国の学校へ国体明徴訓令す 12.8　大本教大弾圧、幹部100名検挙、信者1000人連行、翌年施設破壊 12月　山川均、加藤勘十ら労農派400人検挙［第1次人民戦線弾圧事件。以後弾圧拡大］	1.13　長征途中の遵義で中国共産党拡大中央政治局会議、毛沢東の指導権確立 7.25～8.25　コミンテルン第7回大会、人民戦線テーゼを採択 8.1　中国共産党、8.1宣言、内戦停止・一致抗日を呼びかけ 10.3　イタリア、エチオピア侵略開始
1936	2.10　野坂ら「日本共産主義者への手紙」発表［当時、日本共産党の組織は壊滅的な打撃をうけ、再建運動さえ弾圧されていたとき、コミンテルン7回大会で日本代表の野坂は、「日本の全国津々浦々に、共産党の組織ができている。そして、それらは反戦のために、民主主義勢力と共に立ち上がっている」と報告し、この手紙も、日本には共産党が強固に存在しているという前提から方針がたてられている］ 6月　コム・アカデミー事件、講座派の指導者検挙	3.24　内務省、メーデーを全国的に禁止 4.19　「愛国労働組合全国懇話会」結成［ファッショ幹部は権力に積極的に迎合し、労働運動は産業報国運動に組みこまれていく］ 9.10　陸軍省、軍工廠労働者の組合加入と一切の団体行為を禁止	2.26　青年将校ら大臣、重臣らを殺害［政府中枢占拠、奉勅命令によって反乱崩壊］ 11月　日独防共協定調印	1.15　スペイン人民戦線成立宣言 2月　中国紅軍、東征抗日を宣言、5月　国民政府に停戦・一致抗日を呼びかける 3.26　チリ人民戦線結成 5.5　朝鮮人による祖国光復会結成 6.4　フランス人民戦線内閣成立

日本共産党	社会運動	国内情勢	国際情勢	
7月　小林陽之助帰国［岡辺隆司らと、共産主義者の結集と人民戦線の運動にあたる］ 10月　神山茂夫、保釈出獄 12.5　日本共産党中央再建準備委員会（和田四三四、宮本喜久雄ら）検挙			7月　スペイン内乱始まる 11.14〜18　綏遠事件［日本関東軍、モンゴルの綏遠に侵入］ 12.12　西安事件［張学良が内戦停止拒否の蔣介石を監禁 12.16、周恩来、張学良・蔣介石と会談。12.25 釈放］	1936
2月　日本無産党結成［左翼社会民主主義の組織］ 7月　日本帝国主義の中国への全面的侵略に反対し反戦闘争［開戦の翌日には東京、大阪、北海道などで反戦ビラをまいて戦争反対をよびかけ、軍隊の中でも反戦活動をおこなう。しかし、中央委員会の機能をうばわれた状態のもとで、活動は地方的、分散的なものにならざるをえなかった］ 10月　日本無産党、日本労働組合全国評議会解散させられる［「人民戦線のくわだて」という理由で関係者 400 名逮捕］ この年、京大学生グループは、軍部ファシスト打倒、天皇制打倒、民主共和国樹立のスローガンを掲げ地下政治組織を結成。リーダーは永島孝雄	1月　「出版工クラブ」発会式 1月　八幡製鉄 3 万名、賃上げ要求スト 5.22　持越金山の 1200 名、特別手当要求スト 7月　愛知時計 6000 名、24名の解雇反対スト 10.17　全総第 2 回大会「事変中スト絶滅宣言」を発表 12月　全評に結社禁止令	7.7　盧溝橋事件起こる［中国侵略本格的に開始。以後 45 年 8.15 敗戦まで 2000 万の中国人を虐殺］ 11月　日独伊 3 国防共協定 12.15　日本無産党、日本労働組合全国評議会、結社禁止 人民戦線第 1 次検挙、全国一斉千余名 12.13　南京大虐殺［この日から 3 カ月間、日本軍は集団虐殺 28 万人、一般市民殺害 6 万人、他に未確認虐殺 20 万人以上の計 54 万人以上の中国人民を殺した。主力は第 6 師団、第 16 師団］	2月　中国共産党、国民党に国共合作を提議 6.4　朝鮮・普天堡の戦争 7.7　盧溝橋事件［日本、全面的中国侵略を開始］ 8.21　中ソ不可侵条約調印 8.25　中国共産党、「抗日救国 10 大綱領」発表 9.23　第 2 次国共合作成立 12.13　日本軍、南京侵入、南京大虐殺事件	1937

	日本共産党	社会運動	国内情勢	国際情勢
1938	1月　京大ケルン結成（永島孝雄） 2月　「人民戦線のくわだて」という理由で「労農派」の学者グループや関西の雑誌「世界文化」のグループが検挙される 6.24　第2次検挙（人民戦線弾圧）　大内、向坂、猪俣ら労農派への一斉検挙 7〜9月　共産主義者団への弾圧、158名検挙 ＊古在由重ら検挙さる	3月　山口県笠戸造船所400名待遇改善要求スト 4.11　大阪鉄工場、サボタージュ、半日ストに憲兵による弾圧 7月　労働組合会議、産業報国連盟への参加決定 8月　産業報国会連盟創立［労働運動の統制、圧殺化］ 10月　日本海員組合、「皇国海員同盟」に改組 11月　総連合、「日本勤労奉公連盟」と改称	2.1　大内兵衛、美濃部達吉ら検挙さる［第2次人民戦線事件］ 4.1　国家総動員法公布［戦争のために人的物的資源統制、運用権限を国家権力が握る］ 10月　日本軍武漢占領 11.3　近衛文麿首相、東亜新秩序建設声明	1.11　漢口で中国共産党機関紙「新華日報」創刊 10.12　延安で中国共産党第6次6中全会開催、王明らの右翼日和見主義を批判
1939	3.10　山本懸蔵、ソビエトロシアの秘密警察により処刑される。野坂参三による裏切り密告で「日本のスパイ」とされた 5月　山代吉宗らによる党再建運動弾圧される 9月　春日庄次郎、逮捕［春日は「共産主義者団」を結成して活動、のち山代吉宗、加藤四海、酒井定吉らと京浜地区で活動］ 11月　京浜労働者グループ弾圧 ＊この年、早大ウリ同窓会（高峻石ら）弾圧	7月　全日本労働総同盟、産報問題で分裂 8月　総同盟から分裂した旧全労派「産報倶楽部」結成 ＊この年、労働組合517組合36万6000名	1月　明石真人、村本一生、キリスト者として兵役拒否［6月、抗命罪で懲役、陸軍刑務所へ］ 5.12　ノモンハン事件 7.8　国民徴用令公布［労働力の国家統制、強制的労務配置］ 10月　物価統制令、賃金統制令公布	3.16　ドイツ、チェコスロバキアを解体 6月　平江事件［国民党軍、中国共産党・新4軍を攻撃］ 8.23　独ソ不可侵条約締結 9.1　第2次世界大戦始まる、ドイツ軍、ソ連軍、ポーランドに侵入 9.3　英仏対独宣戦

日本共産党	社会運動	国内情勢	国際情勢	
＊この年の初め、野坂参三、ソ連から中国にわたる	7月　東京交通労組、産業報国会に改組 　　　総同盟、自発的解消を決定 9月　日本海員組合解散宣言 11.23　大日本産業報国会結成	2月　農地制度改革同盟結成 5月　供出米強制措置決定 7月　社会大衆党解党 8月　大日本農民組合解散 9.27　日独伊3国同盟条約調印 10.12　大政翼賛会発足、隣組制度成立	1月　毛沢東「新民主主義論」発表 3.30　南京に日本のかいらい中華国民政府成立 8.20　華北の八路軍、日本軍に大遊撃戦（百団大戦）開始（〜12月）	1940
2月　党再建運動に対し弾圧 5.1　神山茂夫、検挙 6月　袴田里見に懲役15年の実刑判決 12.9　全国一斉に「赤狩り」、3000人逮捕［太平洋戦争開始の翌日から、共産主義者だけでなく戦争に批判的な自由主義者、人道主義者を含む新しい弾圧があいつぎ、東京だけでも2百数十名の人々が検挙される］	10月　山口県東川ダム朝鮮人労働者330名、待遇改善、時間短縮要求スト ＊この年、労組は11組合に減り、43年には出版工クラブも弾圧に抗しきれず解散した。44年には完全にゼロとなるが組織を失った労働者はオシャカ、サボ、逃亡等の消極的な抵抗を続け、時にストライキとして暴発した。憲兵、警察の弾圧の前に敗北していき、労働者の組織的抵抗はまったく姿を消し、日本労働運動の息吹きは敗戦後の在日中国人、朝鮮人労働者の決起まで待たねばならなかった。	4.13　日ソ中立条約 5.15　予防拘禁所設置［左翼、反戦思想家、朝鮮人民族主義者、自由主義者等を不当に拘置する暴圧体制下へ］ 10.18　東条英機内閣成立［戦争体制の確立］ 10月　ゾルゲ・尾崎事件 12.8　太平洋戦争［真珠湾攻撃、対米英宣戦布告、中国・アジア植民地争奪戦争開始］	1.7　皖南事件［国民党軍、新四軍を攻撃］王明派項英殺され劉少奇が新四軍の指揮権握る 4.13　日ソ中立条約 5.19　ホー・チ・ミンら、ベトナム独立同盟結成 6.22　ドイツ軍、ソ連に進攻、独ソ戦始まる（9.8レニングラード包囲戦開始） 6.23　中国共産党、反日独伊・反ファシスト国際統一戦線を呼びかけ 12.7　日本軍、真珠湾攻撃、米英、対日宣戦 12.9　中国・国民政府、日独伊に宣戦	1941

	日本共産党	社会運動	国内情勢	国際情勢
1941		＊41〜44年、スト1304件、参加人員5344名、45年1月〜7月、13件382名		
1942	4月　中国で「日本人反戦同盟」結成［日本人捕虜を教育して結成］ 4月　大阪商大（現大阪市大）、共産主義者非合法グループ結成 ＊この年中に在日朝鮮人168名、治安維持法で検挙さる		1.2　日本軍、マニラ占領 1.21　東条首相、大東亜建設宣言 3月　農地制度改革同盟に対し結社禁止令 6.5　ミッドウェー海戦［惨敗を勝利と偽宣伝］ 12.31　ガダルカナル島撤退作戦開始	2月　中国共産党、三風整頓運動開始、約2年 3月　インドネシアのスカルノ、民衆総力結集運動（プートラ）組織 7.17　独ソ、スターリングラード攻防戦開始 11.8　連合軍、モロッコ、アルジェリア上陸
1943	3月　国領伍一郎、堺刑務所で死去 3〜5月　大阪商大、教授・学生ら100名検挙さる		11.5　大東亜会議開催［日・華・満・比の結束を策す茶番会議］ 12.30　アッツ島守備隊全滅	5.15　コミンテルン解散 9.3　イタリア降伏 11.22〜26　第1次カイロ会談
1944	＊この年、中国で「日本人民解放連盟」結成［日本人反戦同盟が発展したもので、戦争の終結と講和、恒久平和、軍部独裁の打倒、自由・民主の政治、人民政府の樹立など民主日本建設のための政治綱領を決める］		6.15　米軍、サイパン上陸 7.18　東条英機内閣崩壊 8.5　最高戦争指導会議設置 11.24　B29東京初空襲	1.9　ソ連軍、東部戦線で大攻勢開始 6.6　連合軍、ノルマンディー上陸 9.6　米大統領特使ハーレー重慶着、11.7、延安で毛沢東と会談

日本共産党	社会運動	国内情勢	国際情勢	
1月　宮本顕治、治安維持法違反で無期懲役判決 3.15　市川正一、宮城刑務所で獄死（53歳） 5月　野坂参三、中国共産党第7回大会で「民主日本の建設」について報告 6.16　宮本顕治、上告破棄刑確定、網走刑務所へ送致 7.7　盧溝橋6周年で野坂「日本国民につげる書」を発表［その中で、米軍の反ファシズム的性格をのべる一方、日本の植民地化の危険性にふれる］ 8.11　野坂、日本むけラジオ放送で「ポツダム宣言について」を訴える 10.10　徳田球一、志賀義雄、府中刑務所出獄、自由戦士出獄歓迎人民大会において出獄声明「人民に訴ふ」を「徳田、志賀一同」の名で発表［出獄声明は、米軍に対する支援、天皇制打倒、人民共和国樹立、地主制の廃止、人民の統制を基調としており、重要な誤りを含んでいた］ 10.16　宮本顕治、出獄 10.19　志賀義雄、神山茂夫、松本一三、社会党結成準備会に人民戦線への協力を申入れる。 　徳田球一、大阪の解放運動出獄同志大会に出席し、人民戦線結成を呼びかけるとともに、社会党右派を批判 　袴田里見出獄 10.20　「赤旗」第1号発行［「人民に訴ふ」「闘争の新しい方針について」を掲載し、後者において	9月　大日本産業報国会解散 　三井、三菱美唄両炭鉱中国人労働者、食糧増配要求で蜂起 10月　全日本海員組合結成。夕張炭鉱の朝鮮人労働者6000人帰国促進等を要求しスト 　松岡駒吉、全労、全評系集め全国労働組合結成懇談会 　石井鉄工解雇反対スト［解雇撤回後5倍賃上げを獲得。闘いを突破口に、京浜地帯の労働者は次々闘争に突入し共産党員による組合の組織化は急増し、ストは激発した］ 　読売新聞社内民主化、幹部の戦争責任追求で生産管理（12月勝利） 11月　三菱美唄炭鉱、生産管理 ＊戦後労働運動は、強制連行された中国人、朝鮮人労働者の英雄的ストによって開始され、これに触発された日本人	1月　日本本土空襲激化［無差別爆撃で非戦闘員多数死傷］ 2月　近衛上奏文［共産主義革命ノ可能性近シ］ 4.1　米軍、沖縄上陸 4.5　鈴木貫太郎内閣成立［休戦工作開始］ 6.23　沖縄戦終結 7.26　ポツダム宣言 8.6　広島へ原爆投下［死者30万人、32万人の生存被爆者］ 8.9　長崎へ原爆投下［三菱軍需都市破壊を目的とした戦後対策］ 8.15　天皇、無条件降伏を放送（玉音放送） 8.16　トルーマン、日本占領方式発表 8.17　東久仁内閣成立［1億総懺悔のマヤカシを喧伝］ 8.26　GHQ、日本占領開始 9.2　降伏調印式 　GHQ指令第1号［軍隊解体、軍事生産停止］	2.4～11　ヤルタ会談［チャーチル、ルーズベルト、スターリンが対独戦後処理、国際連合機構、ソ連の対日戦参加などを協議］ 4.15　ソ連軍、ベルリン総攻撃 4.26　ムッソリーニ逮捕 4.30　ヒトラー自殺 4.25　サンフランシスコ会議、国際連合憲章成立 5.7　ドイツ降伏、休戦協定調印 7.26　ポツダム宣言発表 8.8　ソ連、対日宣戦 8.17　インドネシア共和国独立宣言（大統領スカルノ） 8.30　毛沢東、蔣介石重慶で会談開始、10.10、双十協定 9.2　ベトナム民主共和国独立宣言（主席ホー・チ・ミン） 9.6　朝鮮民主主義人民共和国成立宣言 9.25　世界労働組合連盟（WFTU）発足	**1945**

37

	日本共産党	社会運動	国内情勢	国際情勢
1945	社会ファシズム論をもって社会党を批判]	炭鉱労働者は続々とストに合流、あるいは組合を結成し、労働者の闘いはまたたくまに日本全土を覆い、労働組合運動は自然発生的ではあれ急速に再建された（年末には509組合、38万が組織される）。	9.9　マッカーサー、日本管理方針発表［間接統治、ブルジョア民主主義助長］対華降伏文書調印	10.8　インドネシア人民軍結成、イギリス・オランダ軍と交戦開始
	10.20　日本共産党拡大強化促進委員会発足［徳田、宮本、袴田、黒木重徳、志賀、神山、金天海が参加］		9.14　大日本政治会解散	10.13　蔣介石、国民党各部隊に内戦を密令、各地で解放軍と衝突
	11.6　党拡大促進委員会において「統一戦線組織確立のための基礎綱領」を作成（いわゆる人民戦線綱領）		9月　日本社会党結成準備会	10.21　フランス総選挙、共産党が第1党
	11.8　全国協議会を開催［1、党大会準備委員会の選出　2、行動綱領、規約草案を採択し、米軍＝解放軍規定を明らかにする］		9月　在日朝鮮人連盟（朝連）結成準備会	10.24　国際連合発足
	11.29　「赤旗」第4号において神山「労働組合運動対策骨子」を発表し「革命的反幹部派」の結成を呼びかける	労働運動の暴発的展開の内で旧総同盟の西尾末広ら右翼社民は、産報を御用組合へと改組し独占資本に組合結成の協力要請をして回る等、共産党員釈放前に自らのヘゲモニーを確立すべく奔走した。	9.30　大日本産業報国会、解散	11.5　朱徳、米軍に中国内政への軍事干渉を抗議
			七尾市で強制連行された中国人労働者400名決起、警察署襲撃	11.19　中国民主同盟、重慶で内戦反対民衆大会
	12.1～3　日本共産党第4回大会、東京渋谷に開催［大会一般報告を徳田が行い、天皇制打倒を強調し、解放軍規定を定式化する。中央委員は、書記長徳田をはじめ、宮本、袴田、黒木、金、志賀、神山が選出される。大会では、徳田、神山間における「社会ファシズム論」をめぐる対立、中西功らの天皇制はすでに存在していないとする「国家論」をめぐる対立が表面化］	一方、高野実ら旧全評系左翼社民は占領軍の認可を確認してはじめて運動を組織し始めるという有様で、合法、中間主義に徹し階級協調主義的本質を露呈した。	10.4　GHQ、政治的民事的、宗教的自由に対する制限撤廃の覚書発表［政治犯釈放指令、治安維持法廃止、特高警察廃止］	11.20　ニュルンベルク軍事裁判開始
				11.21　フランスに、ド・ゴール内閣成立
			10.8　上野高女、ストライキ［戦後初の民主化要求学生スト］	12.2　アルバニア総選挙、人民戦線の勝利
	12.6　社会党に対し「共同闘争申入書」を渡すが、社会党は、徳田に代表される「社会ファシズム論」を理由にこれを拒否	また、読売争議を契機に、資本の生産サボタージュに対し労働者は生活防衛のため生産管理を主要な闘争戦術としてたたかった。	10.9　幣原喜重郎内閣成立	12.7　ブレトン・ウッズ協定発効、国際復興開発銀行設立
			10.10　政治犯3000名釈放	
			10.11　選挙権男女同権決定	12.16　米英ソ外相会議（モスクワ）、極東委員会・対日理事会設置を決定
	12.8　日本共産党の指導によって戦争犯罪人追求人民大会が全国的に開始される［戦犯は、保守党のみならず社会党まで含んでいた］	だが生管を労働者権力樹立	10.15　在日朝鮮人連盟結成	
			11.2　日本社会党結成［書	12.27　重慶交渉再開

日本共産党	社会運動	国内情勢	国際情勢	
12.15　中西功、「人民」創刊号に「日本における民主主義変革の新段階」を発表	という戦略的観点から正しく位置づけるにはいたらず、経済的諸要求獲得の手段の枠を出ることはできなかった。 　解放軍規定、平和革命という誤れる戦略規定も即労働運動を解体するものとはならず、日本共産党は戦闘的労働者のなかに組織を拡大していった。 　他方、労働者の爆発的エネルギーはそのような規定をのりこえ、革命的情勢を切り拓いた。	記長・片山哲］ 朝鮮独立促進中央協議会、結成 11.6　政治犯507人釈放 　GHQ、財閥解体指令 11.9　日本自由党結成［総裁・鳩山一郎］ 12.9　GHQ、農地改革に関する覚書発表 12.22　労働組合法公布 12.27　米英ソ3国極東委員会、対日理事会設置に関するモスクワ宣言発表［対日理事会には、中華民国も参加］	＊北朝鮮ではソビエトロシアの支援を受けた金日成（金成柱)が南朝鮮労働党を圧迫し、延安派（中国共産党派）次にモスクワ派、上海独立派、旧在日派などを次々に粛清して、独裁を確立してゆく	1945
1.8　「赤旗」、「4ケ国管理委員会の成立は無血革命を達成する大いなる要素である」と発表 1.12　野坂、博多に上陸 1.13　野坂、東京日本共産党本部で徳田、志賀と会見 1.14　日本共産党中央委と野坂、共同声明を発表［「天皇制を国家の制度として排除すること」を確認し、天皇制に対する態度を改めるとともに「人民戦線」の主張を下ろし、「民主主義的統一戦線」の結成を訴え「愛される党」への脱皮をうちだす］	1月　総同盟結成準備会 　関東労協結成［日本共産党の指導により関東139組合22万9000名が結集、個別分散した闘いは連帯した闘いへと前進。反共を軸に上から組織された御用組合をテコに組織拡大を計る総同盟に対し、共産党は労組に戦闘的労働者を地域的	1.1　天皇裕仁「人間宣言」 1.4　GHQ、職業軍人の公職追放、国粋団体の解散指令 1.15　山川均、人民戦線を提唱［民主的政党、民主的労農団体、民主的文化団体、無党派の結集、社会生活のあらゆる部分での闘い人民委員会の結成などを呼びかける］	1.10　国連第1回総会開催（ロンドン）、1.12　安保理成立 1.11　アルバニア人民共和国成立宣言 1.10〜31　重慶で政治協商会議開催、国共停戦、政府改組・施政綱領・建軍・整軍原則など5項目を決議 1月　米ソ、ソウル会談	1946

39

	日本共産党	社会運動	国内情勢	国際情勢
1946	1.26　野坂歓迎国民大会、日比谷公園で開催、参加者３万人［これには荒畑寒村、山川均をはじめ社会党松岡駒吉、水谷長三郎、黒田寿男ら、「民主人民戦線」を願う主だった者が顔をそろえる］ 2.24〜26　日本共産党第５回大会開催［徳田、野坂によって「占領下の平和革命論」が体系化される。規約の改正が行われ徳田を頂点とする体制がつくられる。これに先がけ、徳田の「社会ファシズム論」に反対していた神山は労働組合部長からはずされ、同部は農民部と合併され組織活動指導部として徳田が長となる。また、同大会において「沖縄民族の独立を祝して」を決議］ 3.1　「赤旗」、「大会宣言について」を発表し、「連合国をわれわれは解放軍とみている」と主張 3.10　民主人民連盟「世話人会」開催［共産党は「民主勢力の大同団結の第一歩」としてこれを支持］ 4.7　幣原内閣打倒国民大会（連盟主催）開催、７万人参加 4.10　総選挙が行われ、野坂、徳田、志賀、柄沢とし子、高倉テルの５名が当選、得票率3.8% 4.19　幣原内閣打倒共同委員会結成、共産党も社会、自由、協同党と共に参加［4.22幣原内閣総辞職、これをめぐって共同委員会内部で左右の対立が公然化］ 5.3　メーデー参加団体23組合の代表が会合、共産党の長谷川浩は食料メーデーを提案	に工代会議に結集し、さらに全国的な労組協議の組織化をもって対抗、総同盟を粉砕せんとした］ 2月　三菱美唄炭鉱生産管理、人民裁判事件 北海道新聞労組生産管理 3月　東宝生産管理（4月、勝利） 5月　復活第17回メーデー全国250万、中央50万人参加［生管闘争は、食糧獲得闘争と結合し始め権力問題を内包しつつ対政府実力闘争へ発展したが、政府は占領軍の武力介入と共産党の戦略規定に支えられ４月危機を脱し、労働者の闘いは一時的に後退］ 6月　第２次読売争議(10月、敗北) 7月　国鉄首切り反対闘争(9月、勝利) 8月　総同盟結成［会長・松岡駒吉、４単産85万人］ 産別会議結成［21単産	1.26　野坂帰国歓迎国民大会［３万人］ 1.29　沖縄、奄美、小笠原の日本行政権停止の覚書 2.1　第１次農地改革 2.9　日本農民組合結成、強制供出に反対 2.13　GHQ、憲法草案を日本政府に手交 2.19　部落解放全国委員会結成 3.2　政府、物価統制方針を決定 4.7　民主人民連盟準備会など共催の幣原内閣打倒人民大会［日比谷、デモ隊に警官隊発砲、米軍鎮圧出動］ 4.10　戦後初の総選挙［保守党の勝利］ 4.17　政府、憲法草案正文発表 5.3　極東国際軍事裁判所開廷 5.12　世田谷区民米よこせデモ、宮城突入 5.19　飯米確保人民大会（食	3月　中国・東北で国共両軍の衝突激化 5.4　中国共産党中央、解放区の土地改革運動を指示(5.4指示) 5.5　国民党政府、重慶から南京に遷都 6.1　フランス、ベトナム「コーチシナ臨時政府」樹立宣言、ホー・チ・ミン政権と対立、交戦再開 6.22　毛沢東、米国の国民党に対する軍事援助に反対を声明 7.9　米政府、スチュアートを駐中国大使に任命 7.11　国民党軍50万、解放区へ攻撃を開始（全面的内戦始まる） 7.29〜10.15　パリ講和会議開催 8.1　毛沢東、米国のストロング女史に「原子爆弾は張子の虎である」と語る 8.18　国際学連（IUS）結成大会（プラハ）、39カ国代

日本共産党	社会運動	国内情勢	国際情勢	
5.6　第1回中央委員会総会開催［徳田は社会党左派を正当な「社会主義者」と評し、政権構想を「社会党、共産党、労農民主団体を中心とする民主戦線を基礎」とした「社会党首班内閣」として打ち出す］ 5.17　人民広場で食料メーデー、25万人参加［「民主戦線即時結成」を決議。徳田および150名の地区労組代表が首相官邸前に坐りこむが、GHQの命令で解散］ 6.20　中西功、党に復帰 7.12〜14　共産党、「社会党中心の民主戦線」結成に力を入れるが社会党の拒否にあい失敗 7.19　第2回中央委員会総会［徳田、吉田内閣打倒、人民共和国成立をめざした民族戦線を提起し、その糧としてゼネストを主張、神山はこれに反対］ 7.21　山川均ら、民主人民連盟結成、共産党は「思想的ルンペンを寄せ集めて第3党をつくるもの」と非難 9月　国鉄・海員ゼネストに始まる9〜10月闘争に対し、共産党は、徳田のゼネストを基調とする路線を提唱し、8月に結成された産別会議を軸に影響力を広げる 9.29　「赤旗」、野坂（中央）の「天皇制はどうなったか1」を発表、国家論をめぐり神山との論争始まる 10.2　「赤旗」、「天皇制はどうなったか2」発表	163万（全組織労働者の43％）戦後労組運動の戦闘的、全国的結集成る。共産党指導下に多くの問題を含みつつ、4月危機以降の後退から労働運動を再起させ、49年まで革命的激動を持続させたのは、産別会議結成とヘゲモニーが労働運動のなかに確立されていたからといえる］ 9月　海員組合首切り反対スト（勝利）［読売争議を契機に反撃に移り、国鉄、海員ストと発展した闘いは10月闘争を切拓いた］ 10月　産別10月闘争［首切り反対、賃上げを掲げた東芝労組スト突入で開始され各単産は続々ストに、スト参加員は延べ33万人とかつてない大規模な争議となった。が、占領軍の新聞放送労働者に対する武力介入に恐怖した共産党は政治ゼネストを否定、闘いは個	料メーデー）25万人参加。首相官邸包囲、GHQ弾圧 5.22　吉田茂保守連合内閣成立 6.12　占領目的有害行為に対する処罰令 6.13　吉田内閣、生産管理を禁止［社会秩序保持に関する声明］ 7.14　社会党、救国戦線の促進を決定 8.16　経団連発足 9.9　生活保護法制定 9.27　労働関係調整法公布、10.13抜き打ち施行 9.30　三井、三菱、安田、住友の財閥解散命令［保守勢力復活、居直り、強権政治の下で形だけの財閥解体］ 10.8　復興金融金庫法公布［資本家育成、インフレ助長、反人民的］ 10.21　農地調整法改正［第2次農地改革、不完全な農地解放で、山林地主等温存］	表参加 8.19　中国共産党、全解放区1億3000万人民に総動員を呼びかける 9.14　ベトナム民主共和国とフランス暫定協定調印、交戦停止 10.1　ニュルンベルク裁判最終判決 10.9　中国共産党、マーシャル特使の国共新妥協案拒否 11.15　国民党、「国民大会」強行開催、「中華民国憲法」草案を採択、中国共産党・民主同盟不参加 11.16　周恩来、和平交渉打切りを声明 12.18　トルーマン米大統領、国民党政府支持を声明 12.19　ハノイ虐殺事件、フランス・ベトナム戦争再開	1946

	日本共産党	社会運動	国内情勢	国際情勢
1946	10.8　産別を中心にゼネスト突入［保守はもちろん、社会党、人民連盟も反対を表明。共産党はこのたたかいを総括し、「平和手段による革命はゼネスト以外にない」と主張］ 12月　再び社共間の政権構想が問題となり、共産党は「社会党の組閣に対して全体としては支持し個々の政策を批判する救国民主戦線内閣を」との態度を打ち出す 12月　神山、「軍事的封建的帝国主義とは何か」を発表し、野坂（中央）の論文を批判	別闘争へ分断され11月へ持ちこまれ、電産の停電ストを背景とする電産型賃金獲得闘争（10~12月）の勝利は官公労働者の決起を生み、11.26全官公庁共闘委発足、12.2対政府闘争宣言が発せられゼネスト体制は確立していった。 　闘いは対政府闘争として準備され、12.17「生活権確保・吉田内閣打倒」国民大会（50万参加）は内閣打倒、人民政府樹立をストをもって行うことを決議。総同盟も10月闘争に刺激された下部労働者の突き上げに越年攻勢に入り、ゼネストに共同歩調をとり始めざるをえなかった］	11.3　日本国憲法公布［ブルジョア民主主義体制。天皇制温存］ 11.20　日本商工会議所設立 12.18　極東委員会日本の労働組合奨励に関する16原則を決定 12.24　労働基準法成立［雇用者に対する罰則のあいまいさ］ 12.27　吉田内閣、傾斜生産方式による経済復興を決定 12.28　吉田茂・西尾末広会談［反革命同盟を確約］	

日本共産党	社会運動	国内情勢	国際情勢
1.1 「赤旗」、「民主人民政府」に向け「全党員は来るべき一大決戦にそなえよ」と呼びかける 1.6〜8 第2回全国協議会開催〔徳田、一般報告をおこない「吉田政府」を打倒することの可能性を訴え、政治闘争への革命的結集を呼びかけるとともに、「経済復興会議への参加」を人民政府樹立の過程とみなすと表明。労働運動については長谷川浩が報告し、「ゼネストで政権を確得しうると考えるのはアナルコ・サンディカリズムである」と批判し、議会闘争と外の闘争の結合の重要性を訴える。この報告は、9月〜10月闘争の党内の一方の総括である。10.8 表明を否定する〕 1.26 野坂、「ゼネストの政治的意義」を発表 1.29 徳田、「誰が誰を統制するのか」を発表「連合国は2.1ストに賛同している」と分析 1.31 共産党、吉田内閣打倒をアピールするが、マッカーサーの中止命令が出ると、「合法的な行動にしぼる」ことを表明、「赤い消防隊」として各労組をまわりゼネストの中止を求める 2月 4月選挙にむけ、共産党は社会党との共闘を提案するが拒否される 4.25 総選挙と参院選、共産党は衆院で4議席、参院で6議席獲得 5.18〜20 第4回中央委員会総会開催〔徳田、2.1ストの自己批判を行い、地方権力を対象とした地域人民闘争提起。また野坂が「平和的革命に	1.9 全官公庁拡大共闘委、2.1ゼネスト方針決定。産別会議ゼネスト参加決定「民主政府樹立」を声明。 15、全国労働組合共同闘争委（全闘）結成〔産別会議、総同盟、共闘、日労会議等400万人結集〕 総同盟ゼネスト支援決定。 18、共闘2.1ゼネスト宣言。 28、「吉田内閣打倒、危機突破国民大会」30万人参加。29、共闘、中労委斡旋案を拒否。社会党書記長西尾、ゼネスト反対を声明、同左派スト支援を声明。 31、占領軍ゼネスト中止を命令、共闘議長伊井弥四郎スト中止指令を放送 2.1 全闘、共闘解散 〔2.1ストは経済闘争の枠をこえ階級決戦として展開されんとしたが、共産党は解放軍規定と平和革命論に基づく合法主義、経済主義に毒されゼネストの位置づ	1.1 吉田、労働者を不逞の輩と言明し挑戦 1.17 自由、進歩、社会3党首会談決裂 1.28 吉田内閣打倒危機突破国民大会（人民広場30万人） 1.29 吉田、社会党への連立工作再び失敗 1.31 マッカーサー2.1ゼネスト禁止令 3.5 コメの強権供出始まる〔警官隊の動員〕 3.8 三木武夫、国民協同党結成 3.31 教育基本法、学校教育法公布（6・3制発足）、日本民主党結成（芦田均） 4.14 独占禁止法公布 4.17 地方自治法公布 4.25 総選挙で社会党第1党となる 5.3 日本国憲法施行 5.15 社会党左派、日共との絶縁を声明 5.16 社会、自由、民主、	1.29 米国務省、中国3人委員会からの米委員脱退と国共調停の打切り声明 1.31 華北全土に戦闘拡大 2.10 パリ平和条約、日独を除く旧枢軸5カ国と連合国の講和 2.28 台湾・2.28事件〔台湾の民衆が国民党支配に反対して大暴動。5.30までに約3万人が虐殺される〕 3.12 トルーマン・ドクトリン 3.18 国民党軍、延安に侵入 5月 非米活動委員会の赤狩り激化 6.5 マーシャル・プラン発表 6.27 米国、中国国民党への武器援助を決定 7.7 中国共産党中央、「7.7宣言」を発表、民主連合政府の樹立と土地改革の実施を強調 8.15 インド独立、インド・

1947

43

	日本共産党	社会運動	国内情勢	国際情勢
1947	ついて」を報告、従来の平和革命論を戦略的なものから戦術的なものとして修正する。野坂・神山論争を打切ることが決まる］ 6月　神山の「軍事的封建的帝国主義」に対する志賀の批判が「赤旗」紙上に掲載され、両者の論争が始まる 6.11～14　全逓労組臨時大会で「地域闘争戦術」を採択 8.4　「赤旗」、片山内閣に対する批判展開 10.12　第5回中央委員会、「下部社会党員との共闘」を訴える 11月　中西功、『民主評論』に「2000年来の日本政治経済の変化」を発表し、「絶対主義の消滅」を主張［12月に「その2」を発表。中西は、すでに党中央に対し「意見書」を提出し、対立関係にあった］ 12.21～22　日本共産党第6回大会開催［第4回中央委総会で修正された野坂の「平和革命論」を公式のものとする。また、志賀、徳田によって「民族独立」の問題が提起される。書記長＝徳田、宮本＝政治局員・統制委員会議長、伊藤律＝政治局員・書記局員・農民部長・「アカハタ」主筆代理、中央委員＝野坂、紺野与次郎、志田重男、志賀義雄］	けが定まらず、占領軍の直接介入と同時に屈服し、自ら前衛たることを放棄したばかりでなく、中止命令をけって、スト突入せんとする労組を説得して回る有様であった。一方、労働者はゼネスト突入後は平和的解決などありえないという認識と決意の上にたっており、必要なのは突入後、権力奪取に向けての武装の準備をも含めた前衛党の組織指導のみであった。しかし共産党の戦線逃亡は指導体制の崩壊であり、労働者はそれをのりこえ前進する主体的力量はなかった］ 3月　全国労働組合連絡協議会（全労連）結成［産別会議、総同盟、全官公庁、中立系参加］ 5月　産別会議、自己批判、運動方針決定［組合運営の民主化、政党支持の自由、スト自粛等を決議、自己批	国協の4党政策協定成立 5.19　経営者団体連合会創立 6.1　片山哲内閣成立［社会、民主、国協の連立反共内閣］ 6.15　沖縄民主同盟結成 7.20　沖縄人民党結成［9.10 沖縄社会党結成］ 9.11　教科書検定制度発足［検閲体制化］ 10.21　国家公務員法公布 10.23　大山郁夫、アメリカ亡命から帰国 10.26　改正刑法公布（11.15施行） 11.30　職業安定法 12.1　失業保険法 12.17　公安委員会設置、警察法公布 12.18　最低生活獲得人民大会（5万人）	パキスタン分離 9.12　中国新華社、「人民解放軍総反攻宣言」発表［2年以内に内戦に勝利し、民主連合政府を樹立すると宣言］ 10.5　コミンフォルム（共産党情報局）設置 10.10　中国共産党中央、「中国土地法大綱」公布、地主の土地没収を定める 10.20　米・ハリウッドで赤狩り激化 12.25　毛沢東、「当面の情勢と我々の任務」発表 12.27　インド・カシミール紛争始まる 12.30　ルーマニア人民共和国成立宣言

日本共産党	社会運動	国内情勢	国際情勢	
	判は 2.1 スト以降の労働運動の退潮を何ら明らかにせず、方針は改良主義への傾斜を深め、共産党は産別会議を攻撃し自己批判を強要することによって自らの責任を回避せんとした〕 7月 産別会議第2回大会 11月 国鉄反共連盟（後民主化同盟）結成			1947
2.6 共産党、片山内閣打倒を宣言、「民主民族戦線」を提起 3月 全官公労を中心とする3月闘争の中で「民主民族戦線」を宣伝 4月 神山、「新民主主義国家の一考察」発表 6.23 福井地震—現地対策本部を共産党（代表中野重治）が設けたことによって県公安条令が制定され、中野検挙 6月 中西功、「社会民主主義と新民主主義」を発表 7.22 マッカーサー書簡発表 〔共産党は、直接マッカーサーを相手とするのでなく吉田に批判を集中〕 11月 日農青森大会において大沢久助が「社共合同論」を提起〔伊藤律が49年1月選挙をめざし	1月 総同盟、組合民主化運動 2月 三月闘争開始 細谷松太、産別民主化同盟（産別民同）結成、労組の自主性確立、日本共産党のフラクション活動排除などを声明 産別民同、総同盟、国鉄民同等、労働組合民主化懇談会開催 3月 3月闘争 〔国鉄、全逓などを中心に全国で展開、4.19 全官公と政府の団交妥結により終	1.21 参院副議長・松本治一郎、天皇拝謁を拒否〔カニの横バイ〕 2.10 片山内閣総辞職 3.10 芦田均内閣成立 3.31 GHQ、朝鮮人学校に閉鎖命令 4.23 大阪、神戸で朝鮮人学校閉鎖反対デモ激化〔日本警官に朝鮮人少年射殺される〕 4.25 米軍、神戸で非常事態宣言〔朝鮮人3000名検挙される〕 5.1 軽犯罪法公布	1.4 ビルマ独立 1.6 米陸軍長官ロイヤル、日本を共産主義の防壁にすると演説 2.7〜9 南朝鮮人民200万、米軍による南朝鮮支配・朝鮮分断に反対してゼネスト、数万人が殺傷・検挙される〔45.9.6、李承晩、金九、金日成ら各階層の代表で構成された建国準備委員会は朝鮮人民共和国の成立を宣言したが、9.7、南朝鮮に進駐した米軍はこれを認めず、軍政をしき、人民弾圧	1948

45

日本共産党	社会運動	国内情勢	国際情勢
て指導したが、これを機に入党が続く]	結。この闘争はゼネスト的状況に近づいたが、2.1スト同様、占領軍の干渉によって挫折、経済主義的に収束された。共産党は2.1スト敗北を何ら教訓化せず、闘いが権力との激突を迎えつつあるとき、スト否定・地域人民闘争路線に立って全国統一闘争を組織しようとしなかった]	6.23　昭和電工疑獄事件	にのりだした。米国はまた38度線を境とした米ソの信託統治を固定化し、朝鮮を分断支配するため南朝鮮だけの「単独選挙」強行により、かいらい政権樹立を策した]
11.27　GHQの発表した経済9原則に対し、「占領下での政治権力の獲得が可能である」という見通しにたち、「誰のために発するのか」が問題であるとして、吉田内閣打倒一本に集中		6.26　教育復興要求全国学生ゼネスト	
[共産党が提起した地域人民闘争は革命の対象をあいまいにし、戦術の右傾化を促した。これは大衆追随主義と経済主義の誤りを内包している]		7.7　社会党、黒田寿男、木村禧八郎ら除名	
*共産党の国鉄青年労働者による職場放棄闘争は九州若松、鳥栖、四国松山、大分に始まり、北海道旭川、新得機関区分会の3割減車闘争の英雄的な闘いへと引き継がれた。次いで富良野、追分、苫小牧、鷲別等の機関区、東室蘭電車区が職場放棄闘争に起ち上った。彼らは宣伝行動隊を組織して農民と市民の中に入り労農即時共闘、芦田内閣打倒、民主民族戦線の結成を訴えた。宣伝行動隊は津軽海峡を渡り青森、秋田、仙台、福島、白河、小山、水戸と南下し、水上、長野、金沢、七尾と北陸を席捲、九州まで拡大させた。しかし共産党指導部国鉄総連指導部はこの闘いを「地域人民闘争」「民主民族闘争」へと流して占領軍・国家権力・国鉄当局との対決を回避した。そして内閣打倒、国会解散という議会主義路線へと労働者の闘いを裏切っていった。正に日本共産党は闘いの指導を放棄したのであった	7.12　警察官等職務執行法公布	4.3　南朝鮮・済州島で「単独選挙」に反対し、島民8割が武装蜂起。島民3分の1の10万人以上が虐殺される。金日成は積極的支援行わず[南朝鮮労働党主導の済州島4.3蜂起]
	4月　メトロ映画館の闘争弾圧、占拠中の労働者75名逮捕。東宝、1200名首切りで反対スト、撮影所閉鎖に対抗して籠城	7.22　マッカーサー、公務員のスト禁止等の公務員法改悪を指令	
		7.31　政令201号公布、即日施行[国家地方公務員の団交権、争闘権などを禁止]	4.22　中国人民解放軍、延安を奪回
	*生産管理中の日本タイプ三田工場仮処分執行、暴力団の襲撃で乱闘、257名逮捕	8.15　生活権擁護反ファッショ人民大会[これを機会に民主主義擁護同盟提唱世話人会発足]	6.24　ソ連、ベルリン封鎖開始
	6月　総同盟、全労連より脱退	9.18　全日本学生自治会総連合（全学連）結成	6.28　ユーゴ、コミンフォルムから除名される
	7月　総同盟、国労、政令201号に対し非常事態宣言	10.7　芦田内閣総辞職[昭電汚職事件で]	8.15　大韓民国成立、大統領・李承晩
	8月　国労職場放棄開始、逮捕、免職続出、全逓にも波及	10.8　社会党中央委西尾除名を決定	9.9　朝鮮民主主義人民共和国成立（金日成首相）[9.2南北朝鮮から選出された572名の代議員により第1
		10.19　第2次吉田内閣成立[保守復活]	
		11.11　GHQ、企業合理化3	

1948

日本共産党	社会運動	国内情勢	国際情勢	
	東宝争議に占領軍と武装警官1800人出動 9月　政令201号に対する闘争は占領軍、政府との全面対決という局面を迎えるが、共産党、産別会議は芦田内閣打倒、国会解散という議会主義的カンパニアへと方向をそらし、占領軍との対決を回避、官公労働者は武装解除される 11月　産別会議、民同否認決定、民同派退場 12月　占領軍、経済9原則に基づき、闘争中の海員、全織、電産、炭労などにスト中止勧告 ［日本共産党―産別会議、社会党、民同、経済9原則の歓迎を声明］	原則を発表 11.12　東条ら7名に絞首刑判決 11.30　改正国家公務員法公布（争議行為禁止等） 12.2　黒田寿男ら、労働者農民党結成 12.20　公共企業体等労働関係法公布 12.24　GHQ、岸らA級戦犯19名釈放	回朝鮮最高人民会議開催、9.8憲法承認］ 10月　韓国南部麗水、順天の韓国軍が済州島への出動を拒否して反乱。智異山（チリサン）に立てこもりゲリラ闘争を開始する（南部軍） 10.26　中国・国民党軍、東北から撤退開始 12.1　蔣介石訪米、30億ドルの援助要請 12.17　中国人民解放軍、北平（北京）に無血入城	**1948**

	日本共産党	社会運動	国内情勢	国際情勢
1949	1.23　総選挙で、298万票、35議席獲得［この選挙に際して伊藤律らの指導の下に「社共合同」戦線が展開され、社会党の山口武秀、菊地重左、常東農民組合員ら1500人が入党］ 2.2　第14回中央委員会開催［徳田は報告の中で、「わが党は6大都市においては得票数は民主自由党につぐ第3党になった」と述べ、党内に「大躍進」により「革命の条件は成熟した」という気分を生みだす］ 3.12　共産党、「党活動の指針」発表［その中で「買弁資本とたたかう民族資本が統一戦線へ組織されてはじめて労働者の地位はかちとれる」として、「大衆の生活を守るたたかい」「地域人民闘争」「産業防衛闘争」の結合をかかげる］ 4.4　団体等規制令公布［共産党は反対闘争を組織するどころか、特別審査員に10万の党員を登録］ 4.30　東京都公安条令反対闘争で橋本金三虐殺さる［「赤旗」「橋本の死は、革命ののろしである」と声明］ 6.10　「赤旗」、「地域闘争は……全政治闘争への戦術である」と主張 7月　中央委員総会にて野坂は「平和的に人民民主主義政府をつくることは無論可能である」「占領軍はこの様な政府が作られ次第、日本から撤退するであろう」とノーテンキな分析を行った	2月　全逓再建同盟（民同派）結成 興和工業首切り反対闘争に流血の弾圧、百余名逮捕 産別、総同盟、労働法規改悪反対声明［全法協結成されるが、占領軍の恫喝に徹底した闘いは組織されなかった］ 3月　東芝川岸工場生産管理闘争に弾圧 炭労、全労連を脱退（以後脱退単組続出） 全労連、世界労連加入を正式承認 5月　東芝労連、労働法規反対スト 6月　東交労組の3支部、本部中闘と占領軍のスト中止指令をけって抗議スト 行政整理反対、企業整備反対闘争［行政整理反対国鉄スト。人民電車事件、地下鉄スト。占領軍のスト中止命令によりスト中止。これは定員法による大量首切り	1.22　学術会議、大学法反対を決議 2.16　第3次吉田内閣成立 2.21　九十九里漁民、米軍演習に抗議闘争 4.4　団体等規制令公布 5.3　全学連、大学法反対全国ゼネスト決行 5.30　東京都公安条例反対闘争で東交労組員橋本金二虐殺さる 6.30　平事件［福島県平市で労働者、市民掲示板撤去に抗議し警官と衝突。平署を占拠300名検挙さる］ 7.4　GHQ、共産党の非合法化を示唆。国鉄第1次人員整理3万7000人の通信開始 7.5　下山事件 7.12　第2次整理6万3000人の解雇通告 7.15　三鷹事件［一連のフレーム・アップによって共産党の影響力低下をねらう］	1.6　国連総会、中国内戦への不介入を決議 1.24　毛沢東、和平8条件（戦犯処罰、官僚資本没収、土地改革、売国条約破棄、民主連合政府樹立など）を提示 1.25　東欧経済相互援助会議（コメコン）成立 1.31　中国人民解放軍、北平（北京）に正式入城 4.3　中国で国境和平会議始まる（4.20、決裂） 4.4　北大西洋条約調印、北大西洋条約機構（NATO）成立 4.21　毛沢東、朱徳全国進撃を命令、人民解放軍、揚子江渡河を開始 5.6　ドイツ連邦共和国（西独）成立 5.27　中国人民解放軍、上海占領 5.30　韓国総選挙、李承晩派惨敗 6.25　朝鮮祖国統一民主主

日本共産党	社会運動	国内情勢	国際情勢	
	に屈服する第一歩であり、これを契機に民同は当局と一体となり日本共産党、革同派の追い落しに入る〕 東芝加茂工場生産管理、警官隊が襲撃 140 名逮捕 7月　東芝労連 4600 名の首切り反対ゼネスト 国鉄中闘委、解雇役員の資格存続をめぐって分裂 8月　全逓中闘解雇役員の資格存続をめぐって分裂 9月　国際自由労連加盟促進懇談会、民同派結集 全逓中央委分裂、民同派、正統派として発足 10月　国労第 7 回臨時大会、全労連脱退、国際自由労連加入決定。全逓正統派大会。全労連、産別、全官公脱退を決定 11月　私鉄総連提唱で民主的労働組合統一懇談会 国際自由労連結成大会に荒木（日教組）、加藤（国鉄）、原口（全鉱）、滝田（全織）、	7.19　全学連学生による反イールズ闘争全国化〔反共講演阻止〕 8.17　松川事件〔国鉄、東芝の争議圧殺を狙う。20 名起訴〕 9.8　団規令により、在日朝鮮人連盟解散させられる。36 名追放 9.27　大山郁夫、占領軍批判で逮捕さる 10.2　国際平和闘争デー・反ファッショ平和擁護大会 10.20　東京都公安条例公布、即日施行 11.10　日中友好協会結成 12.9　文相、共産主義教授は不適格と言明	義戦線結成 7.1　毛沢東、「人民民主主義独裁について」発表 8.18　ソ連、ユーゴ政府を非難、9.28 ユーゴとの友好相互援助条約を破棄〔東欧諸国もこれにならう〕 9.21～30　中国人民政治協商会議開催、首都を北京と改称 10.1　毛沢東主席、北京天安門広場で中華人民共和国の成立を宣言 10.7　ドイツ民主共和国（東独）成立 11.15　周恩来中国総理、国連に「国民政府」の代表権取消しを要求 11.28　国際自由労働組合連合（CIFTU）成立 12.16　毛沢東主席ソ連訪問	1949

	日本共産党	社会運動	国内情勢	国際情勢
1949		森口（全日労）出席、国際労働戦線の帝国主義的再編の一翼を担う 12月　民同、全国産業別労働組合連合（新産別）結成		
1950	1.6　コミンフォルム機関紙「恒久平和と人民民主主義のために」で論評「日本の情勢について」を発表［野坂の理論は、日本の帝国主義的占領者を美化するもので、アメリカ帝国主義賛美の理論であると批判］ 1.7　「プラウダ」が同論評を掲載 1.8　日本共産党中央委声明「党かく乱のデマを打ち砕け」発表 1.13　「赤旗」、「日本の情勢についての所感」発表［野坂理論の不十分性を認めつつも、実践的には克服されたとし、論評の批判は受けいれがたいとの態度を表明］ 1.17　中国共産党機関紙「人民日報」、「日本人民の解放の道」発表［野坂の「平和革命論」を全面的に批判］ 1.18　第18回拡大中央委員会開催［徳田、「所感」に沿った一般報告を行う。「所感」を支持するものとそうでないものとのいわゆる「所感派」「国際派」の分裂がおこる（1日目） 1.19（2日目）「論評」支持を全会一致で決議［席	1.5　国労、新賃金9700円を要求 1.10　重電機労組連合会 1.21　長崎松浦炭鉱で組合員、武装警官隊と衝突、抗議ストライキ敢行 1.26　産別、全労連、「賃上げ共闘全国労組懇談会」発足 2.2　日立市の失業者250名職よこせデモで警官隊と衝突 2.6　民同派主導の3月攻勢［国鉄、総同盟など34単産賃上抑圧反対ゼネスト声明］ 3.15　GHQゼネスト禁止 3月攻勢　［国労順法闘争、日教組、全逓も同調、全鉱連無期限スト、電産、海員	1.1　マッカーサー、「憲法は自衛の権利を否定せず」と声明、再軍備へ 1.19　社会党第5回大会、左右対立で分裂 1.31　米軍、沖縄の基地強化を声明 2.10　全学連中執、「一切の闘争を全面講和促進に結合せよ」発表 2.13　東京都教育庁246名のレッドパージ、学童が抗議デモ 3.1　自由党（吉田）池田蔵相「中小企業の倒産やむなし」と談話 3.20　朝鮮人台東会館接収に警官隊600人の弾圧、130名検挙 4.21　蜷川初当選	1.6　英国、中華人民共和国を承認 1.13　国連安保理、ソ連の台湾追放決議案否決 1.14　ベトナム民主共和国独立宣言 1.31　中国人民解放軍、チベットを除く全本土の解放を宣言 2.14　中ソ友好同盟相互援助条約、モスクワで調印 3.15　世界平和委員会、ストックホルム・アピール、原爆の禁止と国際管理を要求 5.9　シューマン・プラン発表（鉄鋼・石炭の共同管理）［6.3、西欧6カ国が承認宣言、英国は拒否］ 6.7　朝鮮祖国統一民主主義

日本共産党	社会運動	国内情勢	国際情勢
上、志賀が「意見書」を提出]	組合等もスト、総評結成の下地つくるが、合法闘争の限界示す]	4.25　民主主義科学者協会第5回大会、平和への呼びかけを決議。全学連、日本共産党へ意見書	戦線、韓国に南北統一協商会議開催アピール、かいらい政権はこれを拒否。米軍北朝鮮への挑発を続ける
2.6　「赤旗」、野坂が第18回拡大中央委に提出した「私の自己批判」を発表	3.11　総評結成準備大会	5.2　東北大、反イールズ闘争［講演流会］	6.25　朝鮮戦争勃発
2.9　徳田、「たたかいは人民の信頼のために」発表、非合法化の第一歩を踏みだす	3.27　GHQ、炭労争議に強制調停勧告	5.20　全学連第4回大会、委員長・武井昭夫、青年祖国戦線参加決議	米国、国連安保理緊急会議でソ連欠席のまま朝鮮民主主義人民共和国を「侵略者」と断定。国連軍司令部を設置し「国連軍」の名の下に
3.9～11　全学連共産党細胞、党中央を批判し国際派を支持	4.15　炭労結成大会、総評加盟方針決定		武力干渉［朝鮮戦争は米帝国主義による侵略の側面もあり、自主的、平和的に祖国を統一しようとする朝鮮
3.24　「赤旗」、「民主民族戦線の形成にむけた共同綱領について」を発表し、「民主民族戦線」を訴える	4.17　産別会議、全労連へ発展的解消など統一方針決定	5.30　民主民族戦線東京準会主催で人民決起大会［米兵に暴行したと労働者、学生8名検挙　5.30事件］	人民の民族解放と、韓国における米帝およびそのかいらい李承晩一派の反動支配
3.26　徳田、「民族独立のために全人民諸君に訴える」発表［50年綱領の下地となる］	5.1　第21回メーデー［中央50万人、「平和と独立をたたかいとれ」「全面講和促進」をスローガンに掲げる］	6.2　警視庁、GHQの方針でデモ集会禁止	下で苦しむ人民を解放する目的があった。米帝はこの戦争に200億ドルの巨費
4月　共産党内で論争激化［所感派（多数派）の徳田、野坂、椎野悦郎と国際派の宮本、志賀らが対立］		6.3　全学連抗議スト5.30被告に軍事裁判、重労働の実刑判決］	と膨大な戦力を投入し、原爆投下まで計画して朝鮮人民を脅迫したが、朝鮮人民
4.28～29　第19回中央委員会開催［徳田、「当面する革命における日本共産党の基本的任務について」（50年綱領）を提起。これに対して11の修正意見が提出され党中央委は分裂］	5.8　日立、5555名の首切り弾圧［産別や共産党は「全面的攻勢の前哨戦」であるとし、全力支援］	6.16　国警本部、デモ、集会の全国的禁止	を屈服させることはできなかった］
5月　「赤旗」、「情報局論評の積極的意義について」（宮本）発表［同論文は志賀の「意見書」とともに、全学連共産党細胞の理論的基礎となる。当時宮本は、第18回拡中委で政治局を追われ、九州委議長の地位にあった］	5.11　総同盟中央委、総評加盟、総同盟解体の方針決定［GHQによる労働戦線の右翼的統一工作進行］	6.25　朝鮮戦争勃発、在日米軍出動	
6.6　共産党中央委24名「公職追放」	5.30　人民決起大会、野坂演説「弾圧をはねのける手	7.8　日本軍再建指令［警察予備隊7万5000海上保安庁8000増員］	10.8　「国連軍」38度線を
6.7　赤旗編集委員17名追放［所感派（多数派）は椎野を合法機関の「臨時中央委議長」として非		7.15　小倉で黒人脱走兵、	

日本共産党	社会運動	国内情勢	国際情勢
合法活動に突入。徳田は国外に脱出]	段は、労働者階級のゼネストである」	米軍と市街戦	越え、朝鮮民主主義人民共和国に侵入
6.27 武井昭夫、安東仁兵衛ら28名の学生党員「分派活動」により除名	6.28 国労第8回大会、総評加盟および平和3原則決定	7.24 GHQ、新聞レッドパージを指令	10.11 中国人民解放軍、チベットに侵入開始
7月 中国、関西、福島、九州地方の党委員会は「臨時中央委員会」不信認を決定	7.11 日本労働組合総評議会結成、議長・武藤武雄	7.28 マスコミ関係レッドパージ開始さる	10.25 中国人民志願軍、鴨緑江を渡河、抗米援朝に出動
7.7 中国共産党、「日本人民の闘争の現状」発表[日本共産党の分裂を分析し、正しい方向で団結することを訴える]	7.15 総評、官公労、危機突破労働者大会	8.3 広島市警、平和集会を禁止	11.24 米国、対日講和7原則を発表
7.14 中国共産党、「団結を訴える」を日本共産党に向けアピール	7.25 総評緊急評議員会、労連支持、戦争介入反対決議	8.25 GHQ、在日兵站司令部を設置	11.30 トルーマン米大統領、朝鮮戦争での原爆使用を考慮と言明
8月 11の党機関（中国、福島、関西、九州等）が「臨中」に対抗し、「合同統一委員会（準）」を結成	8.8 全新聞反レッドパージ闘争開始	8.30 全学連、レッドパージ反対闘争宣言、9.25試験放棄指令	12.5 朝中軍、平壌を奪回
9.1 全国統一委員会結成	8.12 総評幹事会、当面の平和闘争強化を決定	9.1 閣議で公務員レッドパージ方針を決定	
9.3 中国共産党、「今こそ日本人民は団結するときである」発表[所感派を支持]	8.15 富士工業三鷹、解雇反対で無期限スト[8.21ロックアウト粉砕闘争で124名の大量検挙、8.27第二組合]	9.18 社会党、講和条約方針を決定	
10月末 統一委員会「9.3」の論評を受けいれ、「統一促進のためわれわれは進んで原則にかえる」を発表し解散するが「臨中」はこれを拒否	7月 在日朝鮮青年による非合法組織「在日朝鮮祖国防衛隊」（祖防隊）結成 共産党による武装闘争で戦闘的に闘う	10.17 早大「平和と大学擁護学生大会」警官隊弾圧、百余名検挙	
11月 在日朝鮮青年戦線、全国代表者会議を開催[日本の青年労働者と全学連は青年祖国戦線を結成。在日朝鮮人とともにアメリカ帝国主義による朝鮮侵略に反対して武装闘争を展開した]	8.30 GHQ、全労連に対し	11.5 民間産業レッドパージ9611名	
		11.10 旧軍人3250人の追放解除	
		11.15 公務員レッドパージ1171名	
		11.16 GHQ、財閥役員の	

日本共産党	社会運動	国内情勢	国際情勢	
	反占領軍的暴力主義的団体として団体等規制令による解散を命じ、12名幹部を公職から追放弾圧 9.15　総評、レッドパージに抗議［口先だけで日和る］ 9.16　全金属第2回大会、反レッドパージ闘争で実力行使決定 10.8　全国金属労組結成 11.21　私鉄総連、総評加盟 11.24　新産別、総評加盟 12.9　全官公、越年闘争［不許可の官公労働者越年決起大会、京都で波状デモ強行。機動隊と各所で激突、110名検挙される。京都の闘いは例外的であり全国的には合法闘争の域を出ず］	復帰を促す 11.27　神戸朝鮮人祖国連帯闘争暴動化 12.13　松川事件裁判、1審で有罪判決 12.23　地方公務員法公布 12.25　社会党、単独講和反対方針を確認		1950
1.1　統一委員会機関紙「解放戦線」創刊［所感派の極「左」冒険主義を批判］ 1.27　共産党川上貫一議員、国会で全面講和再軍備反対演説［3.29 衆院除名決定］ 2.2　全国500カ所で共産党非合法機関紙「平和のこえ」関係捜査、441名逮捕	1.16　全闘、賃上げ、労働基本権の確立、平和擁護闘争の目標を決定 1.24　日教組、平和3原則［教え子を再び戦場に送るな等］	1.10　在日朝鮮統一民主戦線（民戦）結成［日本共産党とともに武装闘争の先頭に立って闘う］ 1.19　社会党、再軍備反対を決議	1.1　朝中軍、38度線を越え南進、1.4 ソウルを奪還 1.16　ホー・チ・ミン軍、ハノイを大攻撃 2.1　国連総会、中国を侵略者とする非難決議	1951

	日本共産党	社会運動	国内情勢	国際情勢
1951	2.23〜27　第4回全国協議会［国際派を分派主義者、スパイと規定し、「分派主義者に関する闘争についての決議」採択とともに「軍事方針について」を発表］ 3.25　志賀、自己批判書発表［国際派を分派主義者と呼び、国際的軌道にのる党とそうでない党の存在を指摘、分派闘争を主張］ 4.5　国際派機関紙「プロレタリア通信」で所感派の「5全協」招集を規約違反と非難 8.10　コミンフォルム、「分派闘争に関する決議について」発表、これを支持 8.19　第20回中央委員会総会［51年綱領を採択し、「民族解放民主革命」を打ち出す。党員数8万3000人］ 10.16〜17　第5回全国協議会［51年綱領を確認するとともに「我々は武装の準備と行動を開始しなければならない」と呼びかけを発す］ 11.8　「球根栽培法」を発表 ＊この年、朝鮮連盟を民主朝鮮戦線（民戦）に改名	2.11　全国造船労組総連合 3.2　鉄鋼労連結成、総評加盟 3.10　総評第2回大会、平和4原則決定［以後左派優位、右派後退、事務局長高野実］ 5.1　メーデー人民広場禁止 5.3　憲法記念式典に総評500人デモ、高野ら37人検挙 5.17　全造船、総評加盟 6.5　国労10回大会、平和4原則採択、民同派分裂 8.6　全国労働者平和大会 9.14　海員組合、安保支持 9.22　総評、社会党に対し、講和・安保条約反対を申入れ 10.20　総評、生活危機突破、労働法改悪反対全国闘争 10.23　全国金属、民族解放民主政府の樹立を決議 11.6　総評、団規法、ゼネスト禁止法反対非常事態宣言 12.19　京都市交労組、スト強行、地方公務員法により幹部検挙される	1.24　平和委員会、再軍備反対、全面講和促進運動強化を決定 3.8　国際婦人デー中央大会禁止 4.5　東大生16名、反戦活動でMPに検挙、軍事裁判にかけられる 5.3　日本民主青年団結成 6.12　警察法改悪で自治体警察減少 8.4　奄美大島8000島民、復帰要求ハンスト 9.1　単独講和反対平和国民大会1万人デモ 10.4　出入国管理令公布［在日外国人の政治活動を禁止する］ 10.24　社会党8回大会［講和、安保で左右に分裂］ 10.26　講和、安保両条約、衆院通過 10.29　在日朝鮮民戦主催、強制送還反対闘争人民大会 11.1　入管法施行 11.3　集団示威取締法成立	3.24　マッカーサー「国連軍」最高司令官「中国本土攻撃も辞せず」と声明 4.10　米第7艦隊、台湾海峡で演習 6.23　ソ連国連代表、朝鮮停戦交渉を提案 7.10　朝鮮休戦会談、開城で開始 9.18　周恩来総理、中国不参加の対日講和条約は非合法かつ無効、と声明 10.12　中国で「毛沢東選集」第1巻刊行 11月　中国で汚職・浪費・官僚主義反対の三反運動始まる［「三反・五反」に発展］ 12.1　中国人民解放軍、チベット・ラサ進駐。チベット民族への支配を開始する

日本共産党	社会運動	国内情勢	国際情勢	
		11.12　京大事件［天皇来校抗議の学生、警官隊と衝突、8名検挙］ 12.24　吉田書簡［台湾との講和を米国と確約す］		1951
1月　「中核自衛隊の組織と戦術」を発表 2月　「日本共産党軍事委員会全国会議」開催 2.21　反植民地デー、交番派出所攻撃「蒲田事件」起こる 2.23　京都二月事件、交番派出所襲撃 3.3　全学連第1回拡大中央委員会開催［所感派が多数を占め、国際派中執を排除］ 3.27　共産党小河内村山村工作隊32名逮捕 3.31　京都三月事件、交番派出所襲撃 5.1　メーデー事件［共産党は全学連、朝連を中核に、「人民広場奪還」をかかげ、「大衆実力闘争」を展開］ 5.7　早大解放突撃隊、「全愛国者に入党を訴える」を発表 5.21　共産党中央非合法機関紙「組織者」発行［中国の「五四運動」になぞらえ、先駆的役割を強調しながら「人民と結合した政治闘争と日常闘争を結合する」ことを説く］ 5.30　「5.30記念集会」全国40カ所、新宿駅、板橋岩之坂事件起こる	1.26　総評、労闘、官公労弾圧法規反対労働者総決起大会 2.15　国会共闘会議結成［総評系40単産、左右社会党、労農党が結集］ 3.1　総評、労闘共催、弾圧法粉砕総決起大会、全県で開催 4.18　破防法反対第2波、全国ゼネスト［335万人参加、炭労、全鉱、全自動車、電産、海員、私鉄、戦後最高のスト］ 5.1　23回メーデー（血のメーデー事件）、騒乱罪適用 6.7　労闘、破防法反対第3波第1段ゼネスト、300万 6.16　日教組第9回大会［再	1.27　第2回全自代再軍備反対、徴兵反対決議、学生運動再統一 2.19　青梅事件 2.20　東大ポポロ事件 3.8　GHQ、兵器生産再開許可を指令 3.27　破防法案発表 5.1　メーデー事件［騒乱罪適用2名射殺、民戦、全学連への集中弾圧］ 5.9　早大事件［武装警官隊乱入、学生を乱打］ 6.2　菅生事件 6.10　全学連、13大学で破防法反対スト 6.24　吹田事件［騒乱罪弾圧112名検挙］ 6.25　国際平和デー、新宿火焔ビン闘争	1.1　毛沢東主席、元旦祝賀会で汚職と官僚主義の一掃を強調 1.18　韓国、李承晩ラインを設定 1月　エジプトで反英暴動 2.5　国連総会、朝鮮休戦協定後の特別総会開催、朝鮮復興に関する決議採択 2.21　新華社、米国が朝鮮、中国東北部に細菌を撒布と報道 6.23　米空軍、北朝鮮の水豊ダムを爆撃 9.16　中ソ首脳会議終り、共同声明発表 10.2～13　北京でアジア・太平洋地域平和会議（世界平和評議会の地域会議）開催	1952

	日本共産党	社会運動	国内情勢	国際情勢
1952	共産党中央青年学生対策部「学生運動方針書」発表［51年綱領に基づき、「自衛行動組織」の建設、労農との団結、吉田内閣打倒を打ち出す］ 6.25 朝鮮戦争2周年記念、各地で集会とデモ「吹田事件」「新宿火焔ビン事件」起こる 7.17 コミンフォルム、徳田論文「日本共産党30周年に際して」を発表 8.28 共産党、第14回国会抜き打ち解散を国民の不満と攻勢の前に解散したとし、第2の売国的社民主義者の仮面を暴露することを打ちだす 8.31 共産党中央指導部、「民主的政党、愛国人士の結合による民族解放民主統一戦線戦術の選挙」方針を打ちだす 10.1 総選挙で得票総数65万6000、当選者0［同選挙を総括して、「左派社会党」の躍進は「わが組織を盗用することによるもの」であるとするとともに、民族民主統一戦線の条件は成熟していると結論づける（第22回中央委総会）］	軍備反対、弾圧法規粉砕、朝鮮戦争即時停戦、細菌戦反対を決議］ 6.17 破防法反対第3波第2段第1次ゼネスト、300万 6.20 破防法第3波第2次ゼネスト、日教組、組織防衛「市町村教育委員会設置反対」闘争開始 7.19 大阪地評、伊丹空港拡張反対闘争を決定 新産別中央委、総評脱退を決定 7.22 総評第3回大会［左派社会党支持決定、国際自由労連一括加盟否決、平和と完全独立への運動方針決定］ 9.16 電産、賃上げ無期限事務スト、9.24 電源スト開始 10.6 総評、炭労、電産2大支柱の秋季闘争を決定。権力と総資本は、電産、炭労の切崩しに総力を挙げて	7.1 住民登録実施 7.4 破壊活動防止法成立 7.7 名古屋、大須事件［火焔ビンとピストルの乱闘、騒乱罪等で121名検挙、1名射殺される］ 7.21 公安調査庁設置 8.20 文相、教員の政治活動禁止を言明 9.1 内灘米軍実弾射撃場反対闘争始まる 10.15 保安隊発足 11.11 大村収容所で朝鮮人による即時釈放要求闘争［機動隊による獄内白色テロル］ 12.7 米諜報機関に監禁されていた鹿地亘帰宅	10.2 スターリン、「ソ連邦における社会主義の経済的諸問題」を発表 10.25 国連総会、中国代表権を否決 11.4 米大統領選、アイゼンハワー当選 12月 毛沢東主席、過渡期の総路線を提起［中華人民共和国の成立は、新民主主義革命の段階の基本的終結と社会主義革命の段階の開始を示している。「この過渡期における党の総路線と総任務はかなり長い期間に、国家の社会主義工業化を一歩一歩実現し、また国家の農業と手工業と資本主義工商業に対する社会主義的改造を一歩一歩実現することにある」］

日本共産党	社会運動	国内情勢	国際情勢	
	くる 10.25　総評、軍事予算粉砕、 　　　生活危機突破労働者大会 11.1　鉄鋼労連、総評加盟 11.7　総評、地評代表者会 　　　議、炭労、電産を軸に地域 　　　共闘方針を決定 11.11　炭労、27万スト 11.12　中部電力静岡労組結 　　　成［電産分裂の第1歩］ 11.19　常盤炭鉱労組、炭労 　　　から脱退、スト中止 12.1　炭労、非常事態宣言 12.16　炭労スト中止妥結 12.18　電産スト敗北妥結 12.26　全繊、日放労、海 　　　員組合、全映演の4単産、 　　　声明			1952
1.30　共産党、「平和と独立のために」紙に年頭所感を発表し、「革命の準備と完成の年」と特徴づける 4.19　衆院選挙、65万5000票獲得、当選者1名［選挙戦にあたって従来の民族解放民主統一戦線をおろし、「反再軍備、反吉田の国民戦線」と「平和・独立・民主・自由の国民政府樹立」のスローガン	1.12　総評常任幹事会、4単産声明は政府と資本の弾圧政策を合理化するものと反論 2.3　総評、賃上げ・首切反対の全国的統一闘争方針決定	1.18　沖縄第1回祖国復帰要求決起大会 4.2　浅間山、妙義山基地反対闘争始まる 5.22　内灘闘争で福井県議会、反対運動を決議 6.2　閣議、内灘無期限使用	1.1　中国、第1次5カ年計画開始 3.5　スターリン死去、後任にマレンコフ 6.17　東独各地でノルマ引き上げに反発して暴動起こる。ソ連軍政長官戒厳令を	1953

57

日本共産党	社会運動	国内情勢	国際情勢
を打ちだす]	2.28　日教組、全国各地で教育防衛大会、東京で4万人	を決定［6.13　村民試射実力阻止坐込み。11月闘争敗北］	布告して弾圧する（ベルリン暴動）
4.20　「赤旗」、「我党の……呼びかけは、国民大衆に広く受けいれられ、国民の団結も大いに進み反吉田勢力が勝ち吉田内閣の成立ができないようにした」との選挙総括を報告	3.14　総評・官公労・地評主催、賃上げ・悪法粉砕労働者大会、5万人参加、デモ	6.7　妙義、浅間米軍基地反対群馬県民大会	7.10　ソ連副首相ベリア解任、12月処刑
5.18　国会開催に伴い、共産党、改進党重光首班論に賛同	3.17　総同盟中央委、2月結成の民労連を新中央組織に発展させることを確認	6.15　軍事基地反対同盟全国代表者会議［6.25　基地反対国民大会。8.15　基地反対全国青婦決起大会］	7.26　キューバでカストロ指導の反バチスタ蜂起
5.20　「平和と独立のために」紙に「現情勢の特徴と任務について」を発表［「重光首班論」を「一面においては敵をあまく見、他面においては条件の成熟を無視したもの」として自己批判］	5.1　24回メーデー［中央50万人、再軍備反対など］	7.15　MSA日米相互防衛援助協定交渉始まる［軍事援助］	7.27　板門店で朝鮮休戦協定調印、8.17～28　国連特別総会開催
9月　日本資本主義講座発行（55年2月まで）［51年綱領を擁護するために出版されたもの］	5.12　北陸鉄道労組、内灘農民との共闘、米軍需物資輸送拒否を決定［以後、ストやデモ、坐り込みを行う］	8.1　武器等製造法	9.12　ソ連共産党第1書記にフルシチョフ
9.21　共産党地下指導部の一方の雄、伊藤律をスパイとして除名と「赤旗」報道［当時、伊藤と志田重男（軍事責任者）は対立関係にあり、伊藤は除名発表後姿を消す］	7.8　総評4回大会［高野派による平和勢力論と太田派による第3勢力論で激論、民労連退場］	8.6　広島平和集会	9.19　ソ連・北朝鮮首脳会談終了、共同声明発表
10.14　徳田球一、北京で死去	7.21　民労連、総評を脱退	8.7　スト禁止法施行	10.1　米韓相互防衛条約調印
12月　「平和と独立のために」紙、「反米、反吉田、反再軍備の統一戦線」強化を運動の主柱にすえ、統一政府は戦術の「幹」として、これまでの主張を修正、弱める	8.6　日教組、映画「広島」を完成	9.1　防衛5ヶ年計画	11.13　金日成北朝鮮首相、中国を訪問
	9.27　全沖縄労連結成	12.22　松川事件第2審［死刑含む有罪］	
	10.31　官公労総決起・食糧確保凶作対策合同大会		
	12.5　官公労年末危機突破労働者大会		

1953

日本共産党	社会運動	国内情勢	国際情勢	
1.1 「赤旗」、「平和と民主主義を守る国民の大統一行動をめざして」を発表［敵は優勢、味方は劣勢との状況分析を行い、「反米反吉田反再軍備の統一戦線」の強化を闘いの中心にすえる］ 2月 神山茂夫、「新天皇論」発表 3月 53年暮より行われていた「日本共産党全国組織防衛会議第2次総点検運動」の一貫として組織活動に関する諸論文が『前衛』をうめる 6月 松村一人、井上清『前衛』誌上に「マルクス・レーニン主義研究」発表［神山批判を全面的に。神山批判の総仕上げ］ 8.29 神山茂夫除名［「天皇制に関する理論的諸問題」において51年綱領を批判したことが理由］	1.17 淀川製鋼スト、47日で妥結、1.26 三菱重工業本社闘争63日で妥結 2.10 総評第1派統一行動、日教組、教育2法案反対闘争開始、2.11 教育防衛大会［以後反MSA、教育闘争］ 3.20 京都旭ケ丘中学5教師へ弾圧［5.10 組合側授業管理、分裂授業6月まで］ 5.1 25回メーデー［MSA再軍備反対、吉田打倒］ 6.4 近江絹糸人権争議、無期限スト突入［以後各地各工場に拡大、会社側暴力団と衝突、9.16 会社側妥協］ 6.18 日鋼室蘭首切り反対闘争開始［6.28 スト突入、9.23 二組結成以後両組合激突、12.26 中労委斡旋］ 7.12 総評5回大会、運動方針に春闘方式あらわる 10.26 東証労組、賃上げ民主化要求ストに警官隊弾圧 11.20 総評、生活危機突破・	1.15 護憲連合発足 2.21 反植民地デー 3.1 ビキニ水爆実験、第5福竜丸被災 3.8 MSA協定調印 4.6 主婦連、地婦連生協婦人部、原爆反対 5.8 米、沖縄に原爆機の配置を公然と発表 5月 京都市旭ケ丘中学事件［赤化教育と権力の民主教育弾圧、分裂授業］ 6.8 改悪警察法公布 6.9 防衛庁設置法、自衛隊法公布、秘密保護法公布 8.8 原水禁署名運動全国協議会結成［杉並区の主婦の運動から全国に広がる］ 10.10 MP、朝霞ストでピケ隊に暴行 10.28 日中日ソ国交回復国民会議結成 11.9 吉田、アイゼンハワー会議で対日援助拡大 12.7 吉田内閣退陣 12.10 鳩山一郎内閣成立	1月 朝鮮民主主義人民共和国、復旧発表3ケ年計画開始 3.1 米、南太平洋ビキニで水爆実験、日本の第5福竜丸被災 4.26～7.21 ジュネーブ極東平和会議開催、朝鮮およびインドシナ問題を協議 5.2 ベトナム・ディエンビエンフー、フランス軍陥落 6.28 周恩来・ネルー会談、平和5原則確認 7.20 インドシナ休戦協定調印 9.8 SEATO（東南アジア条約機構）成立 9.20 中国第1期全国人民代表大会第1回会議、憲法採択 10.19 英・エジプト協定成立、英軍スエズ撤退 11.1 アルジェリア民族解放戦争開始	1954

	日本共産党	社会運動	国内情勢	国際情勢
1954		吉田内閣打倒総決起大会 12.16 炭労、非常事態宣言、全駐労、首切り反対96時間スト		
1955	1.1 「赤旗」、「党の統一と全ての民主勢力との団結」を発表し、「極左日和見主義」を自己批判（いわゆる「1.1方針」） 2月 志賀義雄、潜行活動をやめ姿を現す 2.27 総選挙、73万3000票獲得、2議席［宮本、東京1区から立候補、落選］ 3.5 「赤旗」、「中央指導部員」として春日正一、志賀、宮本、米原の4名を発表、宮本指導部に復帰 4.7 「赤旗」、「春闘総括」を発表、3単産のみの賃上獲得について「敵の賃上げストップ政策」を切りくずした」と評価［「1.1方針」以降、日本共産党は労働運動においては総評に「追従」していた］ 5月 志賀、雑誌『世界』で「日本は資本主義型の国である」と主張 7.27〜29 第6回全国協議会開催［所感派50年分裂問題に関する自己批判、「党活動の総括と当面の任務」を決議し、党規約草案を決定。新中央委員には所感派10名、国際派5名が選出され、第1書記に野坂、常任幹部会員の1人に宮本が	1.22 春季賃上げ共闘会議結成［電産、炭労、全金、電機労連、化学同盟、合化学連、私鉄総連、紙パの8単産共闘］ 1.23 自動車労連結成 2.2 7単産共闘、地方共闘組織の編成を決定 2.10 総評、生産性本部へ参加の要請を拒否、炭労一斉職場大会、春闘開始 2.19 総評・護憲連合・東京地評共催、平和国民大集会開く 3.2 総評常幹、選挙闘争自己批判、国際交流、春闘方針討議、金属共闘会議、首切り反対闘争、賃闘を協議 3.5 私鉄総連、合化、炭労スケジュール、戦術を設定 3.6 三井三池労組、賃上げ	1.20 東京調達局、警官隊を出動させ妙義山演習地で強制測量 2.3 自治庁選挙部、帰郷学生の不在者投票許可を決定 2.14 日本生産性本部創立総会 2.27 北富士米軍演習場拡張反対闘争開始 3.19 第2次鳩山内閣成立 3.27 富士吉田市で米軍北富士演習地返還期成同盟結成大会 5.8 都下砂川町で立川基地拡張反対総決起大会、砂川闘争始まる 5.9 北富士住民1500名、演習場坐り込み 5.24 在日朝鮮統一民主戦線大会［従来路線からの転換図る。5.26 朝鮮総連結	1.1 米、南ベトナムに直接援助開始 1.5 国連事務総長ハマーショルド、中国を訪問 2.8 ソ連首相マレンコフ辞任、後任ブルガーニン 4.18 インドネシア・バンドンでアジア・アフリカ会議開催［会議にはアジア・アフリカの独立国29カ国が参加、世界総人口の過半を占める14億の人口を代表した「人類史上はじめての両大陸におよぶ有色人種の会議」（スカルノ）で戦後の民族解放運動の一つの頂点となった。会議は、平和5原則をさらに充実させたバンドン10原則を確認したが、これはアジア・アフリカの完全独立と平和

日本共産党	社会運動	国内情勢	国際情勢
坐った。6全協は、従来の「暴力革命論」を排し、宮本体制確立への第一歩となる]	で無期限スト突入	成]	の要求を明らかにし、大国主義に反対して国際社会における平等を宣言し、AA諸国民の団結と連帯の確立
8.11　6全協記念政策発表大演説会（日本青年館）に、野坂、志田、紺野ら潜行幹部現れる	3.7　炭労九州中小ブロック交渉決裂で一斉スト	6.3　京大滝川総長事件、警官出動	をめざしたものであった。この「バンドン精神」はその後のAAグループの指導
9.10　日本共産党東京都学生細胞代表者会議［6全協後の各細胞の状況報告、中央への批判が集中］	3.13　全鉱連大会［新賃金要求、ブロック別闘争方式］	6.7　第1回母親大会開催	理念となった]
9.17　共産党東大学生細胞総会［真剣な討議の末、分派として排除した党員の復帰等を任務として臨時細胞委を選出］	3.28　炭労大手24時間スト	6.10　全学連8回大会、日常要求活動重視の日和見主義的方針	6.25　ホー・チ・ミン大統領中国訪問、毛沢東主席と会見
9.19～20　志田、「赤旗」紙上に自己批判発表	4.1　労働金庫発足	8.22　核ロケット・オネストジョン朝霞基地配置	7.18～23　米英仏ソ4巨頭会談（ジュネーブ）
9.21　野坂、「赤旗」で「誤りを犯した人に対し直ちに不信を抱いてはならない」と主張［野坂は『前衛』10月号「6全協の主要な問題」である51年綱領を「戦略は正しく戦術は誤っていた」と総括を行っている］	4.7　全港湾労組、首切り反対で運輸大臣室前ハンスト	8.24　森永ヒ素ミルク中毒事件	10.26　南ベトナムでかいらい「共和国」発足、ゴ・ジン・ジエム大統領に就任
10.27　共産党明大細胞総会［活動のすべてに批判集中し混乱。委員会の組織化、6全協に従って自己批判の徹底等を決議］	5.1　26回メーデー［労働戦線団結強化、社会党合同促進］	9.13　立川基地拡張の第1次強制測量開始［全学連、反対闘争参加、測量実力阻止、警官隊と激突］	
12.29　「赤旗」も「6全協決議の全面的実践へ」を発表し、「党員義務の積極的遂行」を訴える	5.7　全鉱大手ブロック別24時間スト、5.18無期限スト	9.19　原水爆禁止日本協議会結成（原水協）	
	5.12　官公労、新賃金要求	11月　自由民主党成立	
	6.3　全鉱、長期闘争方針	11.7　オネストジョン富士山麓試射演習強行、反対闘争始まる	
	6.10　富士重工労組、3700人首切り反対スト、7月妥結		
	6.29　全日自労1000人、夏季手当要求、大阪府庁前坐り込み		
	7.16　国労14回大会［不当処分撤回、合理化反対］		
	7.25　全国一般合同労組連		

1955

	日本共産党	社会運動	国内情勢	国際情勢
1955		絡協議会結成 7.26　総評6回大会［全産業別統一闘争（春闘）方針統一行動強化決定、岩井章事務局長新任］ 9.5　東京地評を中心に砂川基地拡張反対労組支援協結成　　↗	➡ 9.9　総評、労基法改悪反対で全労、新産別へ共闘申入れ 10.10　労農連絡会議設置 10.29　三菱重工横浜造船所スト 11.1　佐賀県教組、大量首切り 11.26　越年手当獲得・賃上げ要求労働者総決起大会 12.2　住友化学、住友金属24時間、12.6 住化無期限スト	
1956	1.19　共産党東大細胞1月総会［学生戦線の沈滞克服に向けて「大衆的政治闘争」の展開を決議］ 2.5　「赤旗」、「第4回中央委総会」決議「党の統一と団結のための歴史上の教訓」発表［解決には相当時間が必要であると50年分裂についての態度を示す］ 2月　大沢明、塩崎要祐、『前衛』誌上に「農地改革の誤れる評価について」を発表し、従来の党の活動を自己批判［農民運動において山口武秀が「農地改革以降どう変わったか」を発表して、反独占の新しい農民運動の方向を打ち出した時期にあた	1.24　総評、全医労、日本医師会等28団体、健保法改悪反対連絡会議結成 2.13　政府、順法闘争違法と弾圧、官公労は既定方針確認 2.14　公労協、順法闘争等統一行動開始［官公労主導型の春闘始まる。6波のスト］ 2.20　千代田丸事件［米軍	1.19　日教組の教育3法（新教委法、新教科書法、教育公務員特例法改正）反対闘争始まる 2月　国会、原水爆実験禁止決議 4月　原子力3法成立、東海村に原子力研究所設置 自民党初代総裁に鳩山一郎選出 6.9　沖縄米民政府、軍用地	1.3　ソ連・モンゴル・中国直通鉄道開通 1.15　ソ連第6次5カ年計画発表 1.16　ダレス米国務長官、「瀬戸際政策」発表 2.14～25　ソ連第20回共産党大会開催、フルシチョフ第1書記、スターリン批判の秘密報告 4.4　キューバで反バチスタ

日本共産党	社会運動	国内情勢	国際情勢
る］	命令の出航、全電通拒否］	に関するプライス勧告を沖縄に伝達	蜂起
2.6　共産党東大細胞、「全東大の学友諸君へ」を発表［6全協後半年間の活動停止を陳謝、再出発を誓う］	3.8　日教組、教育2法反対一斉職場集会	6.17　経済白書発表［55～56年にかけての朝鮮戦争特需を背景とした、「神武景気」が戦前にもまさる独占資本主義体制を復活させたとし「もはや戦後ではない」と宣言した］	4.5　「人民日報」、「プロレタリアート独裁の歴史的経験について」を発表
2.11　共産党第1回都協議会、東大教養学部細胞が党活動全般への意見書提出［党中央と学生細胞は国立大学授業料値上げ反対闘争の総括をめぐり決定的な対立関係に陥る］	5.1　27回メーデー［教育2法撤回、憲法改悪防止等］		4.17　コミンフォルム解散
	6.11　日鋼赤羽、首切り反対スト		5.26　中国共産党宣伝部長陸定一、「百花斉放・百花争鳴」について演説
3月　第5回中央委員会総会、2月のソ連共産党第20回大会の「正しさ」を確認し、決議	7.15　総評、全労、新産別、中立労連、スト規制反対連絡会	7.28　プライス勧告反対、沖縄県民20万デモ	7.26　ナセル・エジプト大統領、スエズ国有化宣言
4.16～17　第6回中央委員会総会、1.6以来失捜中の志田を常任幹部会員、書記局員から解任	7.28　総評、松川対策委員会、弾圧対策全国連絡会設置	9.12　砂川町第2次土地収用認定発表、砂川闘争再び始まる	9.15　中国共産党8全大会開催［劉少奇、「政治報告」で「我が国で社会主義と資本主義とのどちらがどちらにうち勝つかという問題は、現在すでに解決された」と指摘］
4.26　東京教育大細胞、「6全協後の無原則的自己批判」を自己批判	8.25　総評7回大会、生産向上運動反対を決定	9.27　全学連・支援労協・砂川町反対同盟3者で現地合同本部確立、共闘組織である支援団体連絡会議結成	
6.28～30　第7回中央委総会、51年綱領の改定準備を決定	9.1　自治労4回大会。職場闘争、住友共闘など決定		
9月　第8回中央委総会、志田を中央委員から罷免［9.18「赤旗」紙上で離党を確認］	10.16　愛媛教組ハンスト	10.12～13　砂川町強制測量阻止で農民・労組・学生と、警官隊衝突	10.15　毛沢東主席、フルシチョフのスターリン批判に対し、「レーニン主義は基本的に捨てさられた」と非難
10月　『前衛』、片山さとし論文「平和的移行と新綱領」発表	11.1　愛媛勤評闘争長期化へ	10.14　政府、砂川町測量中止声明	
10.24　ハンガリー革命とソ連軍の介入、「赤旗」11.24号でソ連の介入を正当なものと評価	12.12　健保改悪反対連絡会主催、改悪反対中央大会	10.19　日ソ共同宣言調印［戦争終結と国交回復を正	10.23　ハンガリー革命［ブダペスト反政府デモ。10.24ナジ首相就任、ソ連軍出動］
11.8　「赤旗」、「綱領問題に関する留意事項」発表			11.1、ナジ、ワルシャワ
12.27　共産党書記局、「全党の知恵と経験を結集させるために」を発表し、綱領問題に関する全面的討議を呼びかける			

1956

	日本共産党	社会運動	国内情勢	国際情勢
1956	12月　上田耕一郎『戦後革命論争史』を発刊し党内論争に一石を投じるが、その後党中央によって発刊停止処分に追い込まれる。内容は50年分裂時の党内民主主義の欠落と旧指導部への批判を含んでいた		式に認め合いソ連は日本の国連加盟を了解] 11.9　日経連「新時代の要請に対する技術教育に関する意見」発表、政治に積極的参加 12.18　国連総会、日本加盟を可決 12.23　石橋湛山内閣成立	条約機構脱退宣言。ソ連軍再介入、11.4 首都制圧。 11.23　ナジのルーマニア強制移動発表。12.9　戒厳令布告、労働者評議会に解散命令] 10.29　イスラエル軍、エジプト侵入、スエズ動乱おこる
1957	1月　第10回中央委総会開催［大衆闘争の先頭にたとう」と呼びかけ、①全党は一致して闘争にたとう②細胞会議と学習会を確立し、経営、農村に組織をのばそう③「赤旗」を闘いの武器として読者をふやし読書会をつくろう、の3本柱を決定、第7回党大会をめざす] 3月　東京都党会議において宮本、春日ら党中央と都委員候補武井昭夫らとの対立激化し、宮本ら「武井除名」攻撃にでたが失敗、武井当選 4月　春闘方針を発表、賃上げの正当性をのべるに留まる 7月　国鉄新潟闘争［7.9 無期限順法闘争突入。党は、新潟闘争の山場16日後の7.17「赤旗」で「問題は労働者階級の前衛、わが党がこの力量をいかに成長させ自覚を発揮させるかにかかっている」と述べ一切の指導放棄]	2.6　炭労、低額回答に反発、減産闘争を指令 2.14　佐賀県教組、首切り反対3割休暇闘争2.16 4割へ 3.9　総評、教育文化統制反対全国大会 　　国鉄山猫スト、各地で 3.23　総評、官公労、東京地評、最低賃金制要求貫徹中央総決起大会［3.26 ストは中止] 5.1　28回メーデー［最賃制確立、佐賀県教組弾圧反対] 5.8　公労協各組合へ大処分 7.2　全印総連、総評加盟	1.27　日本トロツキスト連盟結成 2.23　沖縄施政権返還要求国民大会、6000名参加 2.25　岸信介内閣成立 5.20　岸首相、東南アジア6カ国訪問 6.16　岸首相訪米［6.21 共同声明発表、日米新時代を強調] 7.27　日中国交回復国民会議結成 8月　安全保障に関する日米委員会発足 8.6～16　第3回原水禁世界大会本会議開催（東京）	1月　北朝鮮で5カ年計画始まる、千里馬運動起こる 1.17　ハンガリー・中国共同声明 1.18　中ソ、国際情勢一般および社会主義諸国の団結強化に関する共同声明 2.27　毛沢東主席「人民内部の矛盾を正しく処理する問題について」演説、階級と階級闘争がなお存在し、ひきつづき革命が必要と指摘 4.27　中国共産党中央委「整風運動に関する指示」公布 11.14　社会主義12カ国共産党・労働党代表者会議開

日本共産党	社会運動	国内情勢	国際情勢	
9月　綱領闘争のために「団結と前進」が発行される	7.10　国鉄新潟闘争激化［国労闘争日和る。大量処分］	東京アピール 9.1　文部省、国立大学教官を除く全国教員に勤務評定を訓令	催、11.22　モスクワ宣言発表 11.17　毛沢東、モスクワで「東風は西風を圧す」「米帝は張子の虎」と指摘	1957
9.29　「日本共産党草案」と関係文書発表され「綱領論争」が本格的に始まる 11.7　「50年問題について」「大会のための政治報告」発表 11.23　「10月社会主義革命40周年記念祝典」で64カ国共産党が労働者の平和の呼びかけ。志賀、蔵原参加 12.28　「赤旗」、「1957年をふりかえる」を発表［学生戦線の拡大強化と運動の発展を評価］	8.3　総評9回大会［新潟闘争妥協で激論、弾圧に耐えぬく組織づくり、生産性向上運動反対など決議］ 9.30　炭労大手13社労組、杵島闘争支援の同情スト突入 10.18　愛媛勤評闘争激化 11.6　日教組、勤評反対で文部省坐り込み、宮之原委員長逮捕 12.22　日教組16回臨時大会、勤評阻止闘争の強化を決定、非常事態宣言発表 12.23　総評、賃金白書発表	10.5　防衛庁、新島ミサイル基地決定 12.1　トロツキスト連盟、日本革命的共産主義者同盟と改称、機関紙「世界革命」と改題	12.26　カイロで第1回アジア・アフリカ諸国人民連帯会議開催	
1.8　第17回中央委総会、第7回大会の2月開催延期を発表 1月　共産党東大細胞機関紙「マルクス・レーニン主義」第9号に山口一理論文「10月革命の道とわれわれの道」掲載［51年綱領を「2段階革命論」と批判し、その根拠をロシア革命におけるスターリンの役割との関係でとらえる］ 2.20～22　共産党全国活動者会議開催［選挙闘争	1.19　日教組、管理職手当反対闘争開始［和歌山県民大会、愛知2万5000決起大会］ 2.15　産別会議解散大会 2.16　全国金属、全金属統一大会［産別の歴史終わる］ 2.18　王子製紙争議始まる	1.23　新島ミサイル基地反対支援団体連絡会議結成 2.26　日中鉄鋼協定締結［協定は、5年間に鉄鋼1000億円を輸出し、その見返りに石炭、鉄鉱石などの原材料を輸入することを決めた。このような中国からの	1.1　ヨーロッパ共同市場（EEC）発足 2.1　エジプト・シリアがアラブ連合結成 2.19　朝中政府、年末までに中国人志願軍の完全撤退を発表 3.27　ブルガーニン・ソ連	1958

	日本共産党	社会運動	国内情勢	国際情勢
1958	にむけて」を決議。民主的政府の樹立を「全党の実践的課題」「行動スローガン」として打ち出す] 3.1 「赤旗」、「全国活動者会議の状況」を報告［①中央委員会の真剣な自己批判②党の団結の前進③意見の相違は当面の諸闘争と選挙闘争の中で解決していく、として「大会の成功」を強調。しかしこの過程で、下部党員とりわけ「構造的改良主義者」のつきあげが激化］ 4月 共産党東大細胞、第7回大会にむけ思想闘争を宣言 6.1 全学連11回大会代議員グループ、「本部」で党中央の指導糾弾、衝突（6・1事件） 6.2 共産党中央、全学連グループ会議否認、特別査問委員会設置 6.4 共産党中央、「一部悪質分子と反党的思想粉砕」声明［「赤旗」は同事件に対して「党33年の歴史上かつてない乱暴な党破壊行為である」と非難］ 6.7 共産党東京都委、全学連問題で予断をもって断罪してはならぬと強調 6.23 「赤旗」、書記局名の「全学連グループの規律違反行為および若干の事実について」発表 7.17 共産党中央、香山健一ら除名3名を含む16名を処分 7.21～8.1 日本共産党第7回大会開催（中野公会堂・品川公会堂）［宮本が代表して「綱領問題	4.22 日教組、勤評反対抗議集会［全国で45万人］ 4.23 都教組、10割休暇［高知、福岡、和歌山続く］ 4.28 春闘大処分［全逓2万2000、全電通8万余人］ 5.1 29回メーデー［岸反動内閣打倒、核兵器の即時無条件禁止。全国178万］ 6.13 都教組7名検挙さる 6.23 和歌山、勤評第2波闘争激化［全国の焦点化］ 6.28 勤評闘争への不当弾圧反対全国集会、全学連支援 7.9 京都府教組の勤評反対休暇闘争［官憲の弾圧激化］ 7.12 総評、日中関係打開労働者大会 7.18 王子製紙闘争、協約、賃上げで無期限スト突入 8.11 官公労、解散を決定 8.15 和歌山勤評闘争激化、官憲、右翼一体化した弾圧［弾圧抗議デモ、8.27 総評傘下組織に子弟登校拒否指令。新産別、全労は右翼的	大量の原料炭輸入は、国際商品市況の悪化と、国際的な景気後退現象の中で米の対日貿易に強力な打撃を加えた］ 4.15 日韓全面会談再開される 5.2 長崎で中国国旗引きおろし事件［5.10 日中貿易全面停止。岸首相は、中国の国旗掲揚権を認めず、中国国旗に対して、刑法上、外国国旗に対する保護規定を適用せず、と言明 6.12 第2次岸内閣成立［中国敵視、東南アジア市場制覇の外交政策を打ちだす］ 9.11 藤山・ダレス会談［日米安全保障条約改定に同意。米は改定にのぞみ、積極的な極東反共軍事力の再編という立場にたっていることを明らかにする］ 10.8 警察官職務執行法改正案、国会上程［政府は警察国家の再現を目論み同	首相辞任、フルシチョフ第1書記が兼任 5.9 陳毅中国外交部長、長崎国旗事件で岸内閣の中国敵視政策非難 6.1 フランスでド・ゴール内閣成立 7.31 フルシチョフらソ連首脳中国を訪問、毛沢東主席らと会談 9.19 アルジェリア共和国臨時政府成立 10.5 仏、第5共和制発足、12.21、ド・ゴール大統領当選 12.10 中国共産党8期6中全総、人民公社化についての決議、毛沢東の国家主席辞退に同意する決議採択

日本共産党	社会運動	国内情勢	国際情勢	
についての中央委員会の報告」を行い「51年綱領」を正式に廃棄するとともに「新綱領」に関する党章草案を明らかにした。草案は、現在の日本を「米帝国主義とそれに従属し同盟関係にある日本独占資本に支配されていると規定。また当面の革命の性格を「平和・独立・民主」の「人民民主主義革命」とした。この点について「日本は、自立した帝国主義である」とする反対があり、新綱領としては採択されず、当面一致できる点を行動綱領として採択、党規約とともに正式に決定した。さらに注目すべきことは、「中央委員会報告」の中で「敵の出方」にもとづく「平和的革命」の遂行が「51年綱領」およびその分裂問題とからみ、宮本の修正主義路線が全面的に打ちだされていることである。同大会は野坂を議長、宮本を書記長に選出し、その修正主義路線を組織的にも打ちだした〕 11月　第3回中央委総会開催〔「党生活確立と党勢拡大運動」を全党に提起。党生活の基準を①支部会議を定期的に開く②全党員が「赤旗」を読む③党費と機関紙代を完納すること、と決定〕 12月　党を除名され離党した学生党員と一部労働者党員が「共産主義者同盟」を結成。東京都港地区委員会多数派も共産同に合流する。以後、全国の大学細胞の解散相次ぐ	対応〕 9.4　日教組委員長検挙さる 9.15　勤評反対全国統一行動。王子争議、スト破りの二組強行就労 9.16　仙台道徳教育講習会反対闘争で日教組、警官隊と乱闘 10.13　総評常幹、警職法反対闘争の具体的戦術を決定 10.14　日教組19回臨時大会〔勤評闘争強化を決定〕 10.24　総評11回臨時大会〔警職法反対スト方針決定、国会前夜間抗議集会を開く〕 11.17　和歌山、高知県教組へ逮捕、処分の集中大弾圧 11.18　国労新潟へ大処分 11.26　警職法反対第5波闘争、勤評反対第4波闘争 11.29　王子闘争、中労委斡旋案を受け入れて敗北収拾 12.9　神奈川県教組、神奈川方式で妥結、文部省は反対 12.20　高知県教組一斉休暇	法の強行成立をはかったが、強力な反対運動（11.5　500万ゼネスト、11.15　1500万統一行動）に会い、岸内閣退陣要求をつきつけられ、社会党に「審議未了」で妥協させ、大衆的高揚に決着をつけた。また、西尾末広は、反共の立場で妥協を説いた〕		1958

	日本共産党	社会運動	国内情勢	国際情勢
1959	1.14〜16　「赤旗」、青対部津島論文「全学連の動向と極左的反党分派の影響の克服のために」発表し「全学連の運動」を批判 1.18　共産党、「日本人民の願望にこたえ真の独立を達成する」と「中立政策」を発表 3月　「赤旗」日曜版発行 3.3　日中両共産党、「安保条約反対共同声明」発表 3.28　日本共産党、安保改定阻止国民会議にオブザーバーとして参加 4.14　「赤旗」、青対部論文「学生運動におけるトロツキスト極左日和見主義粉砕のために」を発表、「共産主義者同盟」を非難 5月　『現代の理論』発行 6.24　志賀、「原水禁運動を安保闘争と同一視するのは誤り」と談話発表 6.25　共産党、全学連批判声明発表 8.7　第6回中央委総会、『現代の理論』を組織原則違反と決定、同誌休刊 9.26〜27　第5回都党会議、港、千代田地区委、党中央を公然と攻撃 11.28　「赤旗」号外、「第8次統一行動に対する自民党岸内閣の弾圧と謀略を粉砕せよ」と呼びかけ、11.27の労働者・学生2万数千名の国会突入をトロツキストの挑発行動と批判 12.3　共産党京大細胞解散声明、前後して同志社大細胞も	1.10　第1回春闘共闘委員会結成[中立労連など参加] 1.13　国労志免炭鉱支部、炭鉱払下げ反対24時間スト 1.31　王子製紙闘争再発[一組、二組の差別待遇] 2.2　全日自労「働かせろ食わせろ失業者総決起大会」 2.5　総評、原水協、基地連、日中国交、護憲連合等、安保改定反対声明 2.15　主婦と生活社争議、無期限スト、流血弾圧長期化 3.8　メトロ交通争議始まる[暴力弾圧はね返し長期化] 3.23　炭労大手14社、無期限スト[6.6スト解除] 4.1　国労志免支部へ大処分 5.1　30回メーデー[安保改定反対、岸内閣打倒] 5.13　総評、東京地評、砂川判決支持報告大会 6.25　安保第3次統一行動 7.24　機労大会[国鉄動力車労組と改称、総評加盟。近代化合理化と対決等決定]	1.12　岸内閣改造[中立化を批判し、日米共同防衛体制の確立を強調] 3.28　社会党、総評、原水協等で安保改定阻止国民会議結成、共産党はオブザーバー参加 4.13　日米安保改定交渉再開 4.15　安保阻止国民会議第1次統一行動（年内に10回の統一行動が行われた） 5.13　南ベトナム賠償調印（経済援助） 5.30　AA経済協力機構発足 9.12〜16　社会党大会、西尾末広除名で紛糾、西尾派、再建同志会結成 11.2　水俣漁民1500名、新日本窒素水俣工場に突入し、警官隊と衝突 12.10　新島村議会、ミサイル試射場受入れ案可決、反対派、役場に突入	1.1　キューバ革命[バチスタ亡命。1.3臨時大統領にウルチタ軍参謀総長にカストロ就任] 2.6　フルシチョフ、ミコヤンらソ連首脳、中国共産党代表団と「ソ連共産党と中国共産党の共通問題について」討議 2.16　カストロ、首相就任 3.10　チベットで反乱、3.31ダライ・ラマ、インドに亡命 4.18〜29　中国・全国人民代表大会第2期1回会議開催、国家主席に劉少奇選出、毛沢東は党主席専任 6.20　ソ連が中国との国防技術協定破棄 6月　中国の黄河・揚子江流域で旱ばつ、3年連続の自然災害始まる 8.2〜16　中国共産党8期8中全会開催（盧山）中ソ対立、大躍進をめぐって論戦。毛沢東への批判集中

日本共産党	社会運動	国内情勢	国際情勢	
●1960年安保闘争、国会正門前	7.30　文部省道徳講習会、会場突入で都教組幹部検挙 8.26　総評12回大会［安保、炭労合理化反対闘争決定］ 8.29　三井鉱山、4万1600名（三池2万1200名）の首切り合理化案3鉱連に提示、争議開始 9.4　全日本官公職員労組協議会結成。尼ケ崎城内高、勤評処分抗議へ警官の弾圧 9.8　日教組、勤評反対全面統一行動、文部省坐り込み 10.7　3鉱連、三井鉱山団交決裂、希望退職募集強行 10.13　3鉱連と杵島労組 ↗	➡24時間反復スト、杵島妥結 11.6　三井労使交渉、11.12決裂、会社側幹旋案拒否 11.19　総評13回臨時大会［安保体制打破、炭労闘争支援、春闘方針など決定］ 11.27　安保改定阻止第8次全国統一行動［東京地評、全学連国会デモ突入す］ 12.10　反安保第9次統一行動。炭労大手24時間スト 12.11　三井三池に1277名の指名解雇通告 12.17　総評、炭労、三池の合理化反対闘争支援懇談会	8.7　中印国境で、インド部隊の侵入により武力衝突、中印国境紛争始まる 9.15　フルシチョフ訪米、9.26　キャンプ・デービッド会談 9.30　フルシチョフ中国訪問、中ソ対立激化	1959
1月　第8回中央委総会［「安保阻止国民会議」における社会党との都道府県段階における対等の立場の「団結」を強化すること、そのためには共闘組織内にある「反共セクト主義」を克服する必要があると強調］ 1.10　共産党早大細胞、11.7闘争に関する「日本共産党早大細胞の上申書」発表、中央批判 2.10　共産党長崎地区委、長崎造船細胞2名を除名［離党グループとともに長崎造船社研結成］	1.5　三池労組1214名の解雇通知一括返上、1.8　24時間スト、1.25　会社側ロックアウト攻撃、無期限スト 1.17　全旅客関東、メトロ争議支援スト、2.14　全国的支援スト、3.19　解決 2.15　炭労24回臨時大会［春闘方針、三池・二瀬に	1.16　全学連、岸訪米阻止羽田空港ロビー占拠 1.19　日米安保条約調印 1.22　「自由化計画大綱」発表［岸内閣は米国の自由化要求に屈し、貿易自由化率を3年後には80％に引き上げることを決める］ 1.24　民社党結成（委員長・	1.22　フランス大統領、アルジェ地区司令官マシュー解任、1.23～24　反政府デモ、1.24　戒厳令布告 4.11～15　コナクリで第2回アジア・アフリカ人民連帯会議 4.19　韓国「4月革命」、李承晩政権打倒（3.15の大統領選挙での大がかりな不	1960

	日本共産党	社会運動	国内情勢	国際情勢
1960	4.10　共産党港地区委、共産主義者同盟に加盟	600円カンパなど決定]	西尾末広）［民社党は労働団体、民主団体を右から分裂させる役割をはたし、国民会議には、反共を口実に参加を拒否］	正行為に抗議し慶尚南道馬山市の市民数万人がデモ。この際少年1人が警官に虐殺されたことに、急速に全国的反政府運動に発展。
	5.13　「赤旗」、「国会への押しかけ、坐り込みは「あせりである」と主張	2.23　総評、全日自労、失業と貧困をなくす中央集会		
	5.29　「赤旗」、「6.4ストで岸一派の最後のとどめを」と呼びかけ	2.29　国公・地公共闘会議を公務員共闘会議と改称	4.24　安保阻止国民会議第15次統一行動［国民会議、ゼネストで政治危機つくりだし岸内閣打倒の方針を決定］	4.19　ソウルでは10万をこえる民衆が大統領官邸へデモ。戒厳令による軍隊出動にもかかわらずデモは続き、4.26李承晩退陣。
	5.31　共産党中央委、「自民反主流を含む選挙管理内閣構想」を決定	3.9　三池労組非常事態宣言		
	6.15　東大生樺美智子さん、国会突入の闘いの中で虐殺される［共産党は「犠牲者を出した責任をトロッキスト指導部にある」として、国会突入を挑発行為と批判］	3.10　デモ規制法・勤評反対統一行動、国会デモ5000	4.28　沖縄県祖国復帰協議会結成	「4月革命」は、死者186、負傷者1000人以上という犠牲を出しながら、自らの力で李承晩政権を打倒したことは、10年以上も苛酷抑圧に耐えてきた韓国人民に大きな自信と希望をよみがえらせた］
		3.15　三池緊急中央委、会社派退場、3.17三池新労（2組）結成、就労決定	5.19　衆院安保特別委で自民党強行採決［清瀬一郎衆院議長、警官導入して本会議開会、会期延長を決議。	
	6.23　樺美智子全学連追悼集会3000名結集（日比谷公会堂）、夜300人が共産党本部に抗議デモ	3.19　三池労組、炭労脱退	5.20未明、新安保条約・行政協定を強行採決］	
	6.24　樺美智子追悼国民葬、共産党不参加	3.26　三池労組「三鉱連内部がどう変わろうと生産再開全力阻止方針」を決定		
	6.25　「赤旗」中央委声明発表［6.23全学連の共産党本部への抗議デモを数十名のトロッキスト学生による「反革命行動」と非難］	3.27　炭労中闘の日和見化、中労委へ幹旋申請の裏切り	6.10　ハガチー事件（羽田）	5.1　ソ連、領空侵犯米U2型機撃墜を発表
		3.28　三井、2組を使って生産再開強行、重軽傷250	6.15　安保阻止国民会議第18次統一行動、総評ゼネスト	7.6　コンゴ動乱
	7月　第11回中央委総会開催［「愛国と正義の旗の下に団結しよう」を発表。中央と地方の安保共闘組織の拡大強化を訴えるとともに、来るべき総選挙と大衆行動によって「安保条約に反対する民主連合政府」をつくることを提唱、「民族民主連合政府」を当面一致できる「中心目標」にもとづく統一戦線＝「安保条約に反対する民主連合政府」へと解消。具体的には11月選挙に向け「政府の地盤」である農村への学生を中心とする「帰郷運	3.29　三池第1組合員久保清氏、暴力団に刺殺さる。3.30三井本社へ抗議デモ、4.1抗議集会、4.8総評、炭労慰霊祭	6.18～22　安保阻止国民会議第19次統一行動（6.22総評第3次スト）	7.16　ソ連、中国に対しソ連人専門家引上げを通告
			6.23　新安保条約批准書交換・発効、岸首相退陣表明	7月　韓国で総選挙、張勉内閣成立
		4.17　炭労25回臨時大会、幹旋案拒否、三池闘争続行		11.10　世界81カ国共産党・

●1960年安保闘争、国会前

日本共産党	社会運動	国内情勢	国際情勢
動」として展開された] 11.10　81カ国共産党・労働者党代表者会議（モスクワ）に、宮本団長以下、袴田、西沢、米原が参加［「声明」及び「世界各国人民への呼びかけ」採択。中ソ論争を背景とした妥協的な「声明」であったにもかかわらず、「反帝反独占の民主主義革命の定式化」「2つの出方論」等に対して共産党は「革命的原則の確立」として評価、後の「国際共産主義運動の論争」のよりどころとする]  ●1960年安保闘争	を決定、4.21　三池労組3鉱脱退、炭労に直接加盟 4.20　三池、二組強行就労で激突 4.22　三池闘争勝利・安保改定阻止中央決起大会 4.29　三川鉱事件で13名検挙さる、資本と官憲の弾圧 5.1　31回メーデー［安保条約批准反対、国会即時解散全国805カ所500万人］ 5.3,5　私鉄総連24時間スト 5.12　三池労組2500名ホッパーで警官隊と激突、170名重軽傷、港務所閉鎖 5.19　安保国会緊迫により総評緊急動員2万人結集 5.26　三池一組と二組激突 6.4　安保阻止第1波スト［国労、動労、都市交、全自交、早朝スト、合化、全金、炭労、全造船、全港湾など時限スト 6.8　総評第14回臨時大会。アイク訪日反対、三池闘争支援方針決定（大牟田） 6.14　三池労組海上ピケ↗	7.19　池田勇人内閣成立［池田は組閣後の記者会見で、議会政治のための与野党の話合い、国民生活水準の引上げ、とくに社会保障の重視をあげ、外交は親米コースをとることを言明］ 10.12　社会党浅沼稲次郎委員長、右翼少年に刺殺さる（日比谷公会堂） 11.29　総選挙［自民296、社会145民社17、共産3］ 12.8　第2次池田内閣成立	労働者党代表者会議開催、12.6　モスクワ宣言発表 12.14　国連総会で植民地解放宣言 12.20　ベトナム南部解放民族戦線結成 ➡ 6.15　安保阻止第2波スト［111単産、580万人参加］ 6.22　第19次統一行動［スト111単産、620万参加］ 7月　三池一組と二組官憲激突［7.19　一組1万5000警官隊1万対峙。中労委職権幹旋、炭労白紙受諾の裏切り、現地反発］ 7月　全逓、国労、全専売、全電通等へ安保闘争大量処分 8.16　炭労中闘、条件付受諾と決定、総評も炭労支持 9.4　三池労組、幹旋案拒否 9.6　炭労27回臨時大会、幹旋案受諾スト収拾を決定 9.8　三池労組炭労決定承認 11.8　大正炭鉱、無期限スト 12.1　三池、全面生産再開

日本共産党	社会運動	国内情勢	国際情勢	
2.2　社会党内に急成長してきた元共産党員を含む「構造改革論」を中立主義と批判し、改めて「社共」の統一を主張［2.5 社会党中執委で「構改」理論による新運動方針決定］ 3.1　第16回中央委総会開催、「綱領草案」討議開始［第7回党大会に提出した「綱領草案」の基本的正しさを確認、第8回党大会に提起する「綱領草案」決定］ 7.8　春日庄次郎、綱領批判、離党声明 7.15　共産党中央委員、同候補など6名、「党の危機を訴える声明」発表 7.20　共産党第18回中央委総会で春日庄次郎、山田六左衛門、内藤知周ら7名除名 7.22　安部公房ら21名の党員文化人、共産党中央を批判、「真理と革命のために党再建の第一歩をふみだそう」と呼びかけ 7.23　共産党立教大第一細胞、党中央による少数派の除名に抗議、非難し「非常事態宣言」発表 7.25～31　日本共産党第8回党大会開催［中央委報告と新綱領（61年綱領）を採択。綱領は「当面サンフランシスコ体制—アメリカ帝国主義と日本独占資本の2つの敵の支配を打破して、真の独立と民主主義を確立する」ことを任務と規定し「民族民主統一戦線」の形成を「基本的力」とし、国会で安定した過半数をしめることによって国会を「反動支配の道具」から「人民に奉仕する道具」	1.6　病院スト再発［東医労第12波、全日赤第8波以後波状スト展開、5月まで］ 1.14　総評、スト権奪還特別委員会設置 1.20　総評、社会党「構造改革論」による運動方針に公開質問状7項目を提出 2.25　宇部興炭労、合理化反対で無期限スト突入 2.27　炭労、石炭政策転換要求一斉スト展開 3.15　動労9拠点10割休暇闘争、3.18 春闘共闘委、春闘中央総決起大会 4.19　炭労無期限スト突入 5.20　安保1周年統一行動 7.1　九州の炭労、合理化反対で全山24時間スト 8月　第1次大阪釜ヶ崎暴動［警察による日雇労働者への差別と抑圧に労働者の怒り爆発］ 9.15　三池労組、二組との差別撤廃要求で24時間スト 9.26　全国一斉学力テスト	2.9　新島ミサイル基地闘争激化 3.6～8　社会党大会で講改理論による運動方針決定 3.11　科学技術庁、私大の理工科系学生増員を文部省に要望 6.3　自民・民社、政暴法案を衆院本会議で強行可決 6.6　農業基本法成立［農業の生産性向上、農業所得と他産業所得との均衡をはかることを目標とした。また池田首相は近代化をはかるため農民を6割減らすことを言明］ 6.19　池田首相渡米（6.22日米共同声明）［池田は「アジアの一員であり、アジアにおける唯一の工業先進国であるわが国としては、物心両面にわたって他のアジア諸国に対し、その安定と発展のため協力することは、わが国の責務である。……我々は強力な共産世界	1.4　アフリカ独立国首脳会談、カサブランカ憲章採択 1.4　米・キューバと断交 1.20　米大統領にケネディ就任 2.13～20　アルバニア労働党第4回大会、モスクワ宣言批判、4.26 ソ連、アルバニアへの経済援助停止 5.1　カストロ、キューバ社会主義共和国の成立を宣言 5.16　韓国、朴正熙による軍事クーデター、張勉内閣倒れる。南北統一運動の高まり挫折 6.3～4　米大統領ケネディ・ソ連首相フルシチョフ、ウイーンで会談 7.1　中国共産党創立40周年記念式典開催、ソ連共産党代表は不参加 7.11　朝鮮・中国友好協力相互援助条約 10.17～31　ソ連共産党第22回大会、フルシチョフがアルバニア非難、10.19	1961

日本共産党	社会運動	国内情勢	国際情勢
にかえて「統一戦線政府」を合法的に樹立することを主張、修正主義路線を確立］ 7.27　新日本文学会の野間宏、大西巨人、武井昭夫ら14名、日本共産党批判声明 8.14　神戸大共産党細胞集団離党［「社会主義への前進をめざして」を発表し、「反独占社会主義革命」を訴える］ 8.18　文学者28名「革命運動のために再び全党に訴える」発表［28名はその後除名］ 8.25　共産党青対部員3名除名 9.1　「赤旗」でソ連の核実験再開で支持声明 9.9　共産党広島大細胞集団離党 9.29　民主青年同盟分裂、「青年学生運動革新会議」結成［共産党の方針を「ブルジョア民族主義と市民的民主主義の誤った青年同盟の方針」と批判］ 10.7〜9　春日庄次郎、山田、内藤ら「社会主義革新運動準備会」結成 10.17　立命館大一部共産党細胞集団離党 11.24〜25　共産党主要都道府県青対部長会議「民青強化」を決定 11.29　東京教育大共産党細胞集団離党 12月　第2回中央委総会、「党中央の決定に対する原則的で敏感な一般指導」を強調し、一般指導を「党組織や党員の意識と力に応じた具体的で個別的指導と結びつけること」を組織強化の方針として打ちだす	に対し日教組反対闘争展開 10.2　三井美唄24時間スト、10.5 48時間スト、10日妥結 10.3　炭労、全炭鉱、炭職協の石炭政策共闘連絡会議 10.4　三池労組8時間スト 10.12　炭労、石炭政転要求第1次行進団1000首都デモ、10.23第2次4000人上京 10.26　日教組、学力テストを北海道、高知、京都、福岡、岩手などで実力阻止 10.27　日教組学テ闘争で岩手に不当弾圧、熊本、山形、北海道等も 10.28　炭労支援都民集会 10.31　三池労組に31名指名解雇弾圧、国労ダイヤ改悪反対闘争へ360人処分 11.25　保育所要求婦人大会（自治労会館） 11.26　炭労第3次上京団3000人、国会デモ、陳情闘争 11.27　総評18回臨時大会、石炭政転闘争決定　↗	に隣接するアジア諸国の安定がなければ、わが国自体の安定確保も困難であることを認識しており、これらの諸国に対する協力援助はわれわれ自身の利益でもある」と述べる 9.6　文部省、理工系大学生増募計画発表 10.20　第6次日韓会談再開［目的①米国の反共軍事体制強化②韓国軍事政権の確立③韓国の朝鮮全土の支配権をみとめる④「対韓経済援助」という名目による日本の経済進出］ 11.15　民社党系、「人道主義」を全面に押しだした「核禁会議」結成 11.16　池田首相、東南アジア訪問	大会出席の周恩来中国首相がこれに反論 12.10　ソ連、アルバニアと国交断交 ➡ 11.28　原子力研究所スト 11.29　東京放送スト、新潟放送無期限スト突入 12.1　炭労大手13社、期末手当要求で無期限スト突入 12.12　読売テレビ労組、全面無期限スト突入 12.20 日教組、学力テスト反対闘争に大量処分弾圧、岩手、熊本、東京、鳥取、高知

日本共産党	社会運動	国内情勢	国際情勢
1.1 『前衛』青対部論文、「民青同こそ学生に適切な組織」と強調	1.11 太田総評議長、向坂逸郎と連名で「構造改革論は改良主義」と江田三郎を批判	2.1 沖縄立法院、施政権返還決議	2.8 米、南ベトナムに軍事援助司令部設置、軍事顧問4000人に増員
2.13 共産党東京都委主催「学生戦線の統一を参議院選の勝利のため」の全都学生集会、600名参加	2.22 岩手教組へ首切り起訴弾圧	3.12 米原潜、那覇に入港	2.22 ソ連共産党中央委、中国共産党中央委に公開論争の停止を提案
3.28 ～ 29 共産党全国学生党員活動者会議開催、「参院選を通じて細胞強化」等を打ちだす	3.1 炭労、じん肺闘争スト	5.25 池田首相、参院選自民党演説会で、現行の大学管理制度の再検討を打ちだす	3.18 エビアンでアルジェリア停戦協定
5.2 ～ 3 春日庄次郎ら社会主義革新運動準備会から分離、統一社会主義同盟結成	3.25 ～ 26 北教組、秋田教組に大量処分	7.1 参院選、革新勢力3分の1割る	4.7 中国共産党、中ソ和解のため世界共産党会議開催とそれまでの相互非難中止を提案
7.1 参院選、180万票、3議席	4月 資本の炭労への集中合理化進む、春闘で炭労スト続発	7.11 創価学会の公明政治連盟所属の参院議員、院内交渉団体として公明会結成	
7月 第3回中央委総会、「綱領にもとづく党の総路線」を「4つの旗」に定式化［①反帝反独占の民主主義革命の旗②民族民主統一戦線の旗③政治的・思想的・組織的に強固な強大な日本共産党建設の旗④アメリカを先頭とする帝国主義に反対する民族解放と平和の国際統一戦線の旗。また、30万の党をめざす党拡大と思想教育活動の総合2年計画決定］	7.11 学テ反対闘争激化	10.1 貿易自由化（230品目）始まる	5.11 ケネディ、ラオス情勢で第7艦隊に東南アジア水域出動を命令
	8.3 東京新聞配転反対闘争	11.9 高崎達之助、廖承志と日中貿易覚書に調印（LT貿易開始）	7.3 アルジェリア独立
	9.1 全日自労、部落解放同盟、失対打切り反対共闘会議結成	11.27 ～ 29 社会党大会、「江田ビジョン」に批判決議、江田辞任、新書記長に成田知己を選出	9.18 毛沢東主席、日本労働者訪中団に「マルクス・レーニン主義の普遍的真理と日本革命の具体的実践とを結びつけ……さえすれば、日本革命の勝利はまったく疑いない」との題辞を贈る
8.3 民主青年同盟、「平和と民主主義を守る全国学生集会」開催、平民学連発足	11.2 炭労、首切り反対・日韓会談粉砕青年労働者決起大会	11.30 大学管理法案粉砕・全国統一行動、全都学生総決起集会・東大安田講堂前銀杏並木集会に全関東の学生6000名結集、京都府学連、大阪府学連を含め全国	10.22 ～ 28 キューバ危機
10.5 ～ 8 第4回中央委総会開催［平民学連強化、労働組合の階級的強化（政党支配の義務を批判）を打ちだす］	11.8 総評20回臨時大会、炭労支援、春闘方針決定		
	11.17 日教組、大学管理制度法制化反対集会		
	12.8 炭労、非常事態宣言、大手52山組合、無期限スト突入		

	日本共産党	社会運動	国内情勢	国際情勢
1962		12.24　総評、石炭政転闘争等の春闘への展望を決定 12.28　三井鉱山、三池闘争の責任追及と称し、宮川組合長ら幹部10人の首切り発表、総評、炭労反対声明	3万以上の学生が決起 12.3　ケネディ、日米貿易経済合同委で日本に中国封じ込め政策への協力を要請	
1963	1.24　「赤旗」、「国際共産主義運動の問題をめぐる反動勢力と反党修正主義者の策動」発表、「中ソ論争」の中止、一定の冷却期間をおいての国際会議開催を提案 2.13～15　第5回中央委総会、「中ソ論争」不介入の態度を決定 2.26　TBS「ゆがんだ青春—全学連闘士のその後」放送、以降日本共産党、「赤旗」で「反トロ」キャンペーン始める 6.25　日本共産党、学生新聞で「学生戦線の統一は分裂主義を一掃してはじめて達成される」とアピール 8.3　日本共産党中央委幹部会、7.15に行われた「米英ソ核実験停止会議」における「部分核停条約仮調印」に反対声明発表 10.15～18　第7回中央委総会開催［「総選挙を中心とする党の諸任務」を決議するとともに国際共産主義運動に関する諸問題について「米帝の二面政策」と「国際共産主義運動の内部の不団結」が	2.16　三井鉱山、3山閉山発表、3鉱連反対闘争声明 3.14　全国一律最低賃金制確立中央集会 4.11　春闘勝利・日韓会談反対・革新都政実現全都青年総決起大会 4.20　全鉱三菱三井住友同和労組、無期限部分スト 5.1　34回メーデー［憲法守ろう1000カ所620万人］ 6.3　3鉱連に賃下げ攻撃 6.21　3鉱連5山労組、合理化閉山に抗議24時間スト 7.9　三池二組、会社側と合理化協定締結、平和協定更新 7.19　国労東京地本、田町電車区「はだか連行事件」で1000人抗議集会	1.9　ライシャワー、大平外相に原潜の日本寄港承認を申入れ、30日政府承認 1.17　自衛隊初のミサイル・ナイキ部隊、習志野に設置 2.20　国民会議、日韓会談反対第7次統一行動［3.20、5.20、第8、9次統一行動］ 4.28　初の沖縄祖国復帰デー 5.1　狭山事件（女子高生殺害）発生 5.23　石川一雄氏、別件で不当逮捕さる 5.7　在日米軍、水爆搭載機の板付基地配属を発表 6.25　国民会議、原潜寄港阻止第10次統一行動（7.4、11次統一行動、9.1、第12次統一行動）	1.27　「人民日報」社説「"モスクワ宣言"と"モスクワ声明"の基礎の上に団結しよう」発表 4.2　米国で人種差別反対の黒人デモ始まる6.14メリーランド州でデモ隊を白人が襲撃、連邦軍出動 5.8　南ベトナムで仏教徒の反政府デモ 5.22　アフリカ統一機構OAU結成 6.21　フランス、NATOからの仏艦隊引揚げを通告 7.5～20　モスクワで中ソ両党会談 8.28　人種差別反対ワシントン大行進 10.15　朴正煕、「韓国大統

日本共産党	社会運動	国内情勢	国際情勢	
米帝の各個撃破政策を許していると論じ、ソ連共産党批判、中国共産党支持」の態度をとる］ 12.21　総選挙、164万票確得、5議席	9.8　日鋼室蘭労組、二組と合同、鉄鋼労連脱退 11.9　三池三川鉱で大爆発 11.19　三池災害に対し炭労九州大手中小抗議スト 12.12　凸版印刷板橋労組、全印総連脱退、日本共産党系路線敗北	9.19　国家公安委、警察庁の増員計画70年までに4万名承認 9.23　池田首相、インドネシア等4カ国訪問に出発	領」に当選 11.1　南ベトナムで軍事クーデター、ゴ・ジン・ジェム殺害 11.22　ケネディー暗殺（テキサス州ダラス）	**1963**
2月　書記長・宮本、病後療養のため中国へ 3月　幹部会員、袴田里見を団長とする代表団モスクワへ出発［日ソ両党間の調整をはかるために会議を行ったが物別れにおわる］ 4.8　日本共産党、春闘共闘委が4.17に計画したゼネストに対し、「ストは米日支配層が労働者戦線内部の右翼分子を利用した排除スト」であると反対、「スト中止」を訴える声明発表 4.17　日本共産党、「米の陰謀」とスト中止に奔走 4.18　ソ連共産党、日本共産党中央委員会宛の書簡を送り、「日本共産党は平和共存政策に反対し、新世界戦争を主張している」と批判 5月　宮本帰国 5.15　志賀、衆院「部分核停条約」承認投票で賛成投票（鈴木市蔵も同調） 5.21　第8回中央委総会、志賀・鈴木を除名 7.7～　第9回中央委総会、4.17スト破壊自己批判	1.25　全逓年末闘争へ処分 2.18　総評、安保国民会議を中心とする日本共産党との共闘再開協議、統一行動実施を決定、社会党は了承、日本共産党は拒否 3.2　最賃制確立・春闘勝利中央総決起集会、東京4万人、大阪2万5000人 3.16　交運共闘、ゼネスト宣言、中央総決起大会6000人 3.26　ダイヤ共闘時限スト 4.4　東交、反合時限スト 4.5　全港湾24時間荷役拒否 4.8　日本共産党、4.17ストは挑発だと反対声明	2.23　吉田茂、台湾を訪問 3.12　第6次日韓会談開始 5.12　政府閣議、米の要請に応じ南ベトナム援助を決定 6.17　憲法調査会審議終了［報告書は改正意見が多数を占め、その根拠として「この憲法は占領軍による"押しつけ"で、日本の現実と遊離した理想主義。とくに第9条の『戦争放棄』は独立国の自衛権の否認」「第3章の『国民の権利義務』では権利・自由を偏重し、義務・責任を軽視している」ことを上げる］ 6.23　熊本県下筌ダム「蜂	1.27　中仏国交樹立 1.30　南ベトナムで軍事クーデター、2.8、グエン・カーン内閣成立 3.2～12　ルーマニア党代表団、中国・朝鮮訪問、中ソ論争の停止を呼びかける 6.27　毛沢東主席、文学・芸術界の整風を指示 8.2　「トンキン湾事件」おこる、8.4　米機が北部の海軍基地を爆撃 10.5　カイロで第2回非同盟諸国首脳会議 10.15　ソ連でフルシチョフ解任、首相にコスイギン、第1書記にブレジネフ就	**1964**

日本共産党	社会運動	国内情勢	国際情勢
7.25　宮本、党創立42周年記念中央集会で中ソ論争にふれ「論争によって真理を追求しながらも両党間の当面の行動の統一」を訴える 8月　ソ連共産党中央委理論政治誌「コムニスト」12号、「日本共産党＝ネオトロツキスト」と批判 9.25　第11回中央委総会、神山・中野除名 10.5　日本共産党、ソ連共産党提案の国際会議中止を提案 11.9　志賀訪ソ［志賀、鈴木、神山、中野、日本共産党（日本の声）組織化へ］ 11.10　「赤旗」、「国際共産主義運動の真の団結のために」発表［自主独立、各国共産党の平等を主張し、ソ連修正主義を批判］ 11.24～30　日本共産党第9回全国大会開催［党内の志賀、鈴木らソ連派を追放するとともに「ソ連修正主義批判の闘い」を全面に打ち出す。その一方「4.17」をめぐり、党内中国派の存在に対しても「自主独立・平等」を建前に牽制する。学生運動の面においては反日本共産党系との問題を含め「全学連再建」を強調。これより、第2次党勢拡大と思想教育活動の総合2ケ年計画が開始される。議長＝野坂、書記長＝宮本、党員数十数万、「赤旗」発行部数20万弱となる］ 12.1　『前衛』青年学生部広谷俊論文、反日本共産党系各派の粉砕を強調	4.9　合化労連24時間、全国セメント48時間スト突入 4.11　日本共産党の4.8声明に対し、総評幹事会、共産党は敗北主義と非難し、スト突入指令 4.14　電機労連半日スト 4.16　ゼネスト前夜、太田・池田のボス交でスト中止決定 4.17　春闘第5次統一行動17単産、120万人参加 4.27　炭労大手8社、全山1番方から無期限スト突入 5.1　35回メーデー［核兵器禁止、完全軍縮、憲法擁護］ 5.2　国労青函連絡船就航拒否闘争に解雇4他35名処分 5.4　興炭労全面無期限スト 5.11　全炭鉱九州中小組合賃上げ要求で無期限スト 6.29　全電通大会、スト妨害の「共産党員」116人処分 6.30　全逓大会、4.17スト妨害の日本共産党党員を統制処分　　　　　↗	ノ巣城」を警官隊強制撤去 9.27　社会党・総評など原潜寄港阻止統一行動 11.9　佐藤栄作内閣成立 11.12　米原潜「シードラゴン」、佐世保に入港 11.17　経済審議会答申、所得倍増計画のひずみ是正・高度安定成長を強調 　　公明党結成大会 11.3　第7次日韓会談開始［ベトナム戦争に本格介入した米国は崩壊に直面した朴政権へのテコ入れと「共産主義の脅威」から会談の開始を迫り、財界からは、「中国への対抗手段」という「高度の政治的判断」から日韓会談の早期妥結による「経済援助」をもって朴政権の安定をはかるべきとつきあげられる］ 11.7　原潜寄港反対横須賀基地前抗議に機動隊は、警棒を乱打し多数が負傷	任 10.16　中国、初の原爆実験 12.21　中国　第3期全国人民代表大会開催（～65.1.4） ➡7.5　国労25回大会、春闘統制違反で日本共産党党員31人除名 7.20　総評26回大会、ベトナム反戦、春闘強化方針 9.21　公務員共闘第7次統一行動、中央総決起集会2万5000人、警察隊と衝突 10.3　総評拡大評議員会、秋闘、原潜闘争等の方針決定 10.5　公務員共闘、大蔵省総理府坐り込み 11.7　総評、社党、原潜寄港阻止東日本大会［横須賀］ 12.3　春闘共闘、最賃要求で労働省坐り込み、12～18　全電通、超勤拒否闘争

日本共産党	社会運動	国内情勢	国際情勢
2.1　米原潜「シードラゴン」佐世保寄港反対で社共共闘 3.1〜5　世界共産党協議会開催（モスクワ）、日本共産党、中国共産党など5党不参加 3月　第2回中央委員総会、参議院選挙対策、「米帝国主義のベトナム侵略戦争に抗議する」特別声明 6.9　社会党、総評系の原潜寄港阻止全国実行委と日本共産党系の反安保実行委が1日共闘で「ベトナム侵略反対国民行動」 6.10　第3回中央委員総会開催［次の4つの方針を確認。①全ての労働組合に細胞を、経営に労働組合を、全ての農村に農民組合をつくる②日韓条約阻止③大衆闘争・大衆組織の建設と党建設の2本柱の活動を党風として確立すること④国際共産主義運動における自主独立路線の立場と国際的統一戦線の形成を呼びかける主体となること。ソ連を修正主義と批判していた従来の立場を柔らげ、中国を暗に分裂主義と批判することによって、修正主義との闘争を回避する］ 7.4　参院選、全国区2名、地方区1名当選、地方区の得票261万票 11月　全国活動者会議開催、「三中総」の徹底化 11.9　社共系諸団体共催、第1次日韓条約批准阻止統一行動　11.13　第2次統一行動 12.3　共産党の農民組織「農村労働組合全国連合会」結成	2.15　総評幹事会、米大使館へのベトナム侵略戦争抗議を全労組に呼びかけ 2.23　全国出稼ぎ者総決起大会、2.17　全国内職者大会 4.28　私鉄大手中小181組合1日スト、全自交は半日 4.30　炭労、24時間スト 5.1　36回メーデー［750カ所、650万人参加］ 5.6　日教組、ベトナム反戦1000万署名運動決定 5.7　総評幹事会、ベトナム医薬品等救援カンパ運動提唱 6.6　全電通15万5000処分、国労、全逓も大量処分 8.2　全沖縄労組連合会、佐藤来島に反対声明と坐り込み 9.30　公共闘、人勧完全実施要求10.22　半日スト宣言 10.6　総評29回臨時大会、日韓条約批准阻止闘争決定 11.6　総評、日韓条約批准で非常事態宣言、デモ・集会続く 11.12　国労、日韓条約抗➚	1.6　日韓会談首席代表に高杉晋一（三菱電機相談役）決定 1.10　佐藤首相、訪米出発（13日米日共同声明）［声明は「極東の安全保障」のため沖縄復帰より米軍基地優先を確認］ 4.24　ベ平連初のデモ行進 4.28　祖国復帰沖縄県民大会（戦後最大） 6.9　社共、ベトナム戦争反対国民行動 6.22　日韓条約本調印阻止闘争に対して権力は拳銃を抜いて弾圧（日比谷） 8.19　佐藤首相、沖縄訪問 8.30　社会党等の呼びかけでベトナム戦争反対・日韓条約批准阻止のための青年委（反戦青年委員会）結成 11.6　衆院「日韓特別委」で自民党強行採決 12.18　日韓条約批准書交換 12.28　文部省、在日朝鮮人学校の不許可等を通達	1.1　タイ愛国戦線結成 1.2　インドネシア、国連脱退を通告 1.8　韓国の朴政権ベトナム戦争に2000人派遣決定 2.7　米、ベトナム北爆開始 3.1〜5　世界共産党・労働者党協議会、中国など7党参加拒否 3月　米でベトナム反戦高揚 5.22　中国人民解放軍、階級制度廃止決定 6.19　アルジェリアでクーデター、ベンベラ失脚 6.19　南ベトナムでグエン・カオ・キ軍事政権成立 9.1　印パ、カシミール交戦 10.1　インドネシア9.30事件インドネシア共産党壊滅 11.27　ワシントンでベトナム反戦平和行進 ➡議スト全国拠点闘争、東京駅構内占拠集会、11.13、総評23単産がストと集会

1965

	日本共産党	社会運動	国内情勢	国際情勢
1966	1.30 共産党、インドネシアの9.30反共クーデター以降の反共デモに抗議声明［これを契機に「敵の出方論」に基づく暴力革命の可能性さえも否定］ 2.1 共産党機関紙「アカハタ」を「赤旗」と改題（本年表ではすべて「赤旗」で統一） 2.4 「赤旗」、「アメリカ帝国主義に反対する国際統一行動と統一戦線を強化するために」発表［いわゆる「自主独立路線」を強める］ 2.10 宮本ら共産党代表団、ベトナム・中国・北朝鮮訪問に出発 2.15 日本共産党・ベトナム民主共和国「共同コミュニケ」発表［宮本、ハノイ歓迎集会で「現代修正主義と分裂主義の路線が反帝民主勢力の国際統一戦線を後退させている」と発言、暗に中国共産党を批判］ 3.28 宮本、上海で毛沢東主席と会談［修正主義に対する闘争をめぐって決裂］ 4.28～29 第4回中央委総会開催［中国共産党の反修路線を分裂主義として初めて公然と批判するとともに、「自主独立路線」を強調］ 5.12 宮本、全国都道府県会議で中国共産党批判、これ以後、党内の中国派に対する粛清開始 8.5～9 原水禁大会で中国代表団退場 8.27 第6回中央委総会開催［第10回大会に向け中央委報告が行われ、西沢隆二が一人反対］ 9.3 福田正義、原田長司ら5名、山口県委より除名	2.27 第1回物価メーデー 3.24 東京12チャンネルに200人の首切り、反対スト 3.30 プリンス自工労組、全国金属脱退を決定［第一組合に第二組合・会社の暴行弾圧］ 4.7～30 合化、全金、全石油、全セメント、電機、公労協交運共闘、私鉄、炭労等スト 5.1 37回メーデー、500万、生活と権利と平和守れ 7.1 総評主催、ハノイ・ハイフォン爆撃抗議緊急中央集会 8.15 ハノイ爆撃抗議行動 10.14 ベトナム反戦スト勝利のための総決起大会、7万 10.17 反戦青年委員会、中央総決起集会（日比谷） 10.21 ベトナム反戦スト547万人がスト集会、職場大会に参加、日教組へ権力弾圧	1.18 早大、授業料値上げ反対のストライキに突入 2.10 早大全学共闘会議、大学本部を占拠する 2.14 佐藤首相、参院決算委で「原子力空母寄港は安全を確認すれば認める」と答弁 3.10 佐藤首相、参院で沖縄防衛に日本も参加と答弁、問題化 5.17 反戦青年委員会主催・ベトナム侵略反対総決起集会（4000名参加） 5.31 椎名外相、参院外務委で「ベトナム作戦の米軍への施設供与は義務」と答弁 7.4 政府、閣議で新東京国際空港の建設地を成田市三里塚に決定（7.29 空港公団設立） 7.5 日米貿易経済合同委開催［66年になると景気は回復した。その最大の牽引力は、財政による公共事業	1.3～15 アジア・アフリカ・ラテンアメリカ3大陸人民連帯会議開催（ハバナ） 2.24 ガーナでクーデター、エンクルマ失脚 3.29～4.8 ソ連共産党第23回大会、中国、アルバニア、ニュージーランドの各党不参加 4.14 郭沫若、文化革命支持と自己批判表明 4.19 「人民日報」社説「毛沢東思想の偉大な赤旗を高くかかげ社会主義文化大革命に積極的に参加しよう」 4.30 周恩来首相、アルバニア代表団歓迎宴で「文化大革命は党と国の運命と前途にかかわるもの」と強調 5.7 毛沢東主席、林彪副主席に指示（5.7指示） 5.16 中国共産党中央委、文化大革命に関する「通知」発表 5.25 北京大学で聶元梓らが大字報を貼出し、当局を

日本共産党	社会運動	国内情勢	国際情勢
9.4　日本共産党（左派）山口県委結成 10.13　第7回中央委総会で西沢隆二を除名 10.24～30　日本共産党第10回大会開催［いわゆる「自主独立」の立場から、中国共産党の反修闘争路線を特定の党の路線への無条件的追従を要求する分裂主義と規定し、この間の中国共産党の反修闘争路線に同調した多くの党員に、売党的事大主義、教条主義、セクト主義、解党主義などとレッテルを貼り、あげく、外国の武装闘争の経験を模倣してもちこみ、議会の革命的利用を軽視して「極左冒険主義」を復活させようとしたと批判。さらに本大会を契機として、これまでのマルクス・レーニン主義の暴力革命思想に対する全面的な修正の総仕上げとして理論の体系化を開始。組織的にも、野坂・宮本が4選、新たに書記局員候補に忠実な手下である上田・不破兄弟を抜てきし、宮本修正主義体制を確立］ 11.12～15　共産主義労働者党結党大会（前期）［志賀は結党に反対。後期大会は67年2月。議長・内藤知周、書記長・いいだもも］	11.10　総評・中立労連、佐藤内閣打倒国会解散要求中央集会 11.24　明治大学生会授業料値上げ反対し全学ストライキ突入、67年2.2　学生幹部のボス交で敗北 11.30　岩手県教組の反戦ストに大量処分 12.9　中央大、学生会館の管理運営権を要求してストライキ 12.11　10.21反戦ストに対し都教組幹部10人逮捕、佐賀、岩手でも検挙弾圧 12.17～19　全学連（3派系）再建大会［70年安保への闘う全学連再建を確認］ 12.25　中大学生自治会の要求実現	の支出促進とアメリカ向けのベトナム戦争「間接特需」である。在日米軍発注の「直接特需」は66年に年間5億ドルに達したが、むしろ軍需ブームで民需に応じきれないアメリカ市場向け輸出という「間接特需」が大きな役割をはたした。66年の対米輸出は、前年比で月間5000万ドル以上も増加した。66年のGNPは1000億ドル］ 9月　議会、足尾鉱毒問題をとりあげる 9.11～14　ベ平連主催・日米市民会議 9.22　防衛庁、初の軍事視察団を南ベトナム、タイへ派遣 12.12　文部省、大学、短大の基本調査発表、マスプロ化進行を指摘	批判 6.1　毛沢東主席の指示により、北京大学の大字報を全国に放送、翌日「人民日報」掲載 6.3　中国共産党北京市委の改組発表、彭真失脚 6.29　米機、ハノイ・ハイフォン爆撃、7.17　ホー・チ・ミン大統領、徹底抗戦を宣言 8.8　中国共産党第8期11中全会、プロレタリア文化大革命に関する16条を決定 8.18　毛沢東主席、北京の100万人集会で紅衛兵を接見 8.5　毛沢東主席、「司令部を砲撃しよう―私の大字報」発表 12.13　劉少奇批判公然化 12.19　南ベトナム派遣米軍37万突破

	日本共産党	社会運動	国内情勢	国際情勢
1967	1.24「赤旗」、「紅衛兵の不当な非難に答える」発表 1.30　総選挙、290万票、5議席獲得 3.2　善隣会館事件〔日中友好運動をめぐり、松本善明率いる共産党部隊がコン棒とヘルメットで武装し、警察と一体となって中国人学生を襲撃。これにより、多数が重軽傷を負う〕 3.15「人民日報」、「善隣会館事件について」を発表し、日本共産党の暴挙を非難 4.17　共産党、善隣会館に掲げられた「日共修正主義グループの殺人行為を糾弾する」という幕の撤去強制執行を申請、中国人学生、支援の日本人学生、青年労働者などを押しきり、警察力により撤去 4.29　共産党評論員論文「極左日和見主義者の中傷と挑発」を発表、中国共産党を批判〔これは宮本論文として知られ、中国共産党批判についての重要論文とされている〕 6.5　不破哲三、『学習の友』誌上に「日本革命と議会主義」連載開始〔宮本の「4.29論文」を理論化するとともに、10回大会以後の宮本体制強化をはかる〕 6.16「人民日報」、国際評論で日本共産党をソ連共産党修正主義の追従者、修正主義者と批判、日本共産党（左派）の造反を支持 6.24　北京放送、日本共産党を日中両国人民の共同の敵とする「4つの敵」論発表	1.27　沖教組、教育公務員2法阻止のため1日スト決定、1.28大デモ展開 2.7　日教組、ベトナム侵略戦争即時中止要求反戦集会 2.10　国労・動労に停職17名含む288人処分の弾圧 2.27　総評33回臨時大会、春闘方針決定、太田と宝樹、戦線統一・産業政策で対立〔民同左派と右派の対立〕 3.2　春闘第1次統一行動中央10万人集会、全国70万、ゴム産業労組協議会結成、5組合8万5000 3.30　春闘第2次統一行動、全国170カ所200万人、集会、デモ、7単産がスト 4.22　電機労連の日電、富士通、富士電機、明電舎、72時間スト 5.1　38回メーデー〔核兵器禁止・沖縄返還、660万人〕 5.15　春闘第4次統一行動、〔最賃、CO立法、失保、健保改悪反対で国会デモ〕	1.25　東大医学部学生大会、インターン制完全廃止を要求スト決議（1.26無期限スト突入）〔東大闘争始まる〕 2.26　砂川基地拡張阻止青学総決起集会〔全学連（3派系）、反戦青年委〕 3.15　反戦青年委全国運営委、4.28沖縄デー等闘争方針決定 4.15　都知事選、社共推薦の美濃部亮吉当選 5.19　文部省、大学研究所への米軍の資金援助が96件3億8000万円にのぼる、と発表 6.9　佐藤首相、国会周辺デモを認める東京地裁決定に異議申立て 6.30　佐藤首相、韓国訪問、朴大統領就任式に列席（7.2日米韓台湾首脳会談）〔反日共系各派阻止闘争〕 8.3　公害対策基本法公布（企業の無過失責任は	2.3　ソ連、モスクワの中国大使館員に暴行 2.5　上海コミューン（人民公社）成立 2.24　毛沢東コミューンを圧殺して党の権威を守り、「革命委員会」をデッチ上げる。左派の粛清開始 3.10　ラッセル、サルトルら「ベトナム戦犯国際裁判」開催発表。5月、ストックホルムで、12月、デンマークなどで実施、米国などに有罪判決 3.12　インドネシア、スカルノ大統領の全権限を剥奪、スハルト将軍が大統領代行 3.7　ブレジネフ、「中国の文革はマルクス・レーニン主義とは無縁」と中傷 4.20　北京市革命委員会成立 5.17　香港で反英暴動始まる 6.5　中東戦争勃発 6.17　中国、初の水爆実験

日本共産党	社会運動	国内情勢	国際情勢
6.3～4　紅衛兵、北京空港で日本共産党中央委員砂間一良、「赤旗」特派員紺野純一を糾弾、これにより両党は全面的に対立 8.21　「赤旗」、「攪乱者への断固とした回答」発表［中国のプロレタリア文化大革命に反対し、中国共産党を「毛沢東を神格化」した「私党」と中傷］ 10.10　「赤旗」、宮本論文「今日の毛沢東路線と国際共産主義運動」発表［中国共産党を「分裂主義者」「トロツキスト」と批判。宮本は中国共産党「批判」を通じて、8回大会綱領の「2つの出方論」を修正し、「平和革命」唯一論の立場を公然化］ 12.27　社共主催「ベトナム侵略反対・米空母エンタープライズ寄港阻止・米原潜寄港抗議横須賀集会で、「反日共系」労働者・学生を「統一を妨害」するとして排除	5.17　全逓、全専売など公労協第1波統一スト 5.22　全逓ストに大量処分 5.27　炭労大手6社、私鉄中小40組合、48時間スト 6.2　全専売、全逓に5.17スト参加で大量処分 6.30　春闘第6次統一行動 7.13　春闘第7次統一行動 7.14　三池CO患者家族、坑底坐り込み抗議、7.18患者家族の会労働省前ハンスト 8.29　動労大会、国鉄五カ年計画反対で反復ストを決定 9.11　住友セメント労組女子労働者、結婚退職制度撤廃要求で96時間スト決行 10.7　国労大井工場支部の新勤務体制反対闘争へ大処分 10.8　佐藤首相のベトナム訪問阻止羽田闘争（3派系全学連、反戦青年委） 　弁天橋上で京大生山崎博昭君機動隊に虐殺さる 10.19　国労、米軍需輸送反対で順法闘争	立法過程で脱落） 8.22　美濃部都知事、朝鮮大学校認可の諸問方針決定、政府は、好ましくないと反発 9.7　佐藤首相、台湾訪問に出発 　米代理大使、外務省に原子力空母エンタープライズの寄港を申入れ 9.19　佐藤首相、閣議で大学管理問題の再検討を指示 9.20　佐藤首相第1次東南アジア訪問 10.8　佐藤首相第2次訪問［佐藤訪ベト阻止第1次羽田闘争京大生、山崎博昭君虐殺される。日本共産党は赤旗まつり］ 11.2　沖縄即時無条件返還要求県民大会（10万人参加） 11.12　佐藤首相訪米、共同声明発表	7.12　米ニューヨークで黒人暴動、以後各地に拡大 7.16　香港の反英暴動激化、英軍出動。その後、毛沢東は反英闘争を抑制する 8.8　東南アジア諸国連合（ASEAN）発足 9.7　ブレジネフ、ブダペストで毛沢東主席を名指しで攻撃する演説 10.10　「人民日報」評論員論文「日本列島に反米の怒濤さかまく」発表 10.16～23　米国でベトナム反戦週間、21 ワシントン反戦大集会

1967

	日本共産党	社会運動	国内情勢	国際情勢
1967		10.21　反戦統一集会、全国376カ所20万5000人 10.25　全国放送労組協議会政府自民党の放送介入・言論統制に抗議声明 11.12　佐藤首相訪米阻止 ↗	➡羽田闘争［3派系全学連、反戦青年委等］ 11.18　国労・動労の賃金配分闘争に大量処分 12.12 国労・動労5万人合理化反対で始発から順法闘争	
1968	1.7　共産党、安保政策として「日米軍事同盟の打破・沖縄の祖国復帰実現—独立・平和・中立の日本をめざして」発表 1.19　米軍エンタープライズ佐世保入港、共産党、寄港阻止闘争破壊を策動し、市民の糾弾を受ける［学生・青年労働者寄港阻止は駅前、基地への各橋で機動隊と大激突。市民の熱烈な応援を受ける］ 1.30　「ソ連共産党」代表団（団長・スースロフ政治局員）来日 1.31～2.5　共産党本部でソ連共産党代表団と和解会議 2.7　日本共産党とソ連共産党共同コミュニケ発表、両党間の正常化について合意成立 2.12　「赤旗」、「日本共産党とソ連共産党会議の意義」発表［共産党は、ソ連修正主義批判を全面的に降ろし、両党間の関係正常化と平等の立場を確認］ 3月　第6回中央委総会開催［労働組合運動の真の統一を前進させる当面の4つの柱を確認①総評・	1.12　CO患者の諸権利について炭労・三井の交渉妥結 1.13　全逓年末闘争に首切り含む3061名の大量処分 2.8　全日自労中央委、失対廃止に非常事態宣言 2.9　三池CO患者を守る会 2.20　炭労54回臨時大会、炭鉱労国有化要求を決定 2.28　東京地裁、東京12チャンネルの解雇は無効と判決 3.4　日教組、教公特例法改悪、外国人学校法に闘争宣言 3.16　沖縄教職員会、安保体制と対決、基地撤去の方針 4.7　全軍労、スト権奪還、布令116号撤廃闘争を決定 4.13　横浜港湾荷役スト、荷役全面ストップ	1.17　全学連、エンタープライズ入港阻止現地闘争［「佐世保を第3の羽田に」を合言葉に実力闘争］ 1.18　社共共闘、西日本5万人集会（佐世保） 1.19　エンタープライズ入港 1.29　東大医学部全共闘委結成、無期限スト 2.4　砂川「反戦ざん壕」闘争始まる。沖縄2.4ゼネスト 2.20　米軍王子野戦病院開設阻止闘争始まる 3.10　成田空港建設阻止労農学連帯集会 4.4　小笠原返還協定調印 4.28　祖国復帰要求沖縄県民大会［本土でベトナム反戦沖縄返還闘争が闘われる］	1.1　「人民日報」など「プロレタリア文化大革命の全面的勝利を迎えよう」と社説 1.1　米ジョンソン大統領、ドル防衛の特別教書発表 1.5　チェコで政変、ノホトニー大統領、党第1書記を辞任、3.29大統領辞任。プラハの春への序曲 1.23　プエブロ号事件［朝鮮人民軍が米情報収集艦プエブロ号を捕獲］ 1.30　ベトナム南部解放民族戦線、テト（旧正月）攻勢開始、米国大使館占拠するが戦略的には失敗 3月　人民解放軍左派5.16兵団粛清 4月　紅衛兵武闘激化、北京

東大＝日大闘争勝利全国学生総決起大会
…1968/11/22

●1968/11・22　東大本郷安田講堂前　日大・東大闘争勝利全国集会

	日本共産党	社会運動	国内情勢	国際情勢
1968	同盟・中立労連の枠を超えた統一戦線とその障害である特定政党支持をとりのぞく②統一行動③反共・分裂・労資協調主義の大衆的克服④未組織労働者の組織化。「特定政党支持の枠をとりのぞく」主張は、議会主義の立場にたった票あつめの手段であり、総評の社会党支持に対する敵対である］ 6.10　共産党、「日本の自主防衛権」を認めると発表 7.7　参議院選挙、地方区357万票、全国区3名、地方区1名当選 7.10　新華社通信、参議院選挙について論評し「宮本修正主義」の議会主義を批判 7.13　共産党は、日本人民への許すべからざる侮辱として「新華社通信の参院選の結果に対する論評とわが党に対する罵倒について」を発表 8.24　ソ連のチェコ侵略に対し非難声明発表 9.18　「人民日報」、「革命的人民の勝利への針路」発表（日本に革命党誕生を確信と論評） 9.19　共産党、「人民日報」社説は許せぬ大国主義的干渉、と反論	5.1　39回メーデー［ベトナム反戦・沖縄返還・佐藤内閣打倒、680万人］ 5.11　炭労大手、死亡一時金などで24時間スト、 5.12　美唄炭鉱爆発で全山抗議集会 5.20　炭労大手48時間、中小24時間スト、全港湾門司支部、米軍弾薬荷役拒否 6.26　総評、軍事基地撤去安保廃棄統一行動、国労、ジェット燃料輸送拒否順法闘争、新宿駅構内で反戦青年委、全学連坐込み。駅周辺でも大集会 7.9　全軍労、首切反対スト 7.12　北電労組大会流会［労使協調路線では労働者の権利は守れぬと代議員退場］ 7.17　弾薬輸送阻止で北九州地評など線路に坐込む 8.12　総評36回大会、10.21国際反戦デー行動アピール 9.12　国労・動労、5万人合理化反対で拠点スト	5.27　日大全共闘結成 6.2　九州大に米軍ジェット機墜落炎上、闘争加熱化 6.30　成田闘争、初の労学武装デモ 　　　北海道長沼の自衛隊ミサイル基地設置反対闘争激化 7.3　警察庁、全国大学54校紛争中と報告 9.30　日大闘争、3万人の大衆団交、古田総長辞任表明 10.2　佐藤首相、日大の大衆団交は認められぬ、政治問題として対策、と発言 10.21　国際反戦統一行動（新宿駅、騒乱罪等で450名逮捕） 11.10　沖縄初の公選主席に屋良朝苗氏当選 11.22　日大・東大闘争勝利全国学生総決起集会（参加者2万、東大安田講堂前） 11.24　成田闘争（ボーリング阻止闘争）	精華大学百日戦争始まる 4.4　米国でキング牧師暗殺、黒人暴動続発 4.19　米黒人の「貧者の行進」10万人集会、4.24ワシントンに非常事態宣言 5.3　フランス5月革命始まる 5.13　米国・ベトナムの和平会談、パリで始まる 7.1　核拡散防止条約調印 7.14　東欧5カ国首脳会談（ワルシャワ）チェコの「自由化」に警告 8.20　チェコ事件［ソ連・東欧5カ国軍がチェコに侵入］ 8.23　周恩来首相、ソ連のチェコ侵入を糾弾、はじめて「社会帝国主義」を使用 8.27　労働者毛沢東思想宣伝隊、北京の全大学・専門学校59校に進駐 11.1　中国共産党第8期12中全会コミュニケで劉少奇の除名を発表 12.10　ベトナム戦争での米軍死者3万人を越す

● 東大本郷正門前　1968年春

	日本共産党	社会運動	国内情勢	国際情勢
1968		10.1　熊本県評、水俣病裁判闘争支援を決定 10.21　反戦統一行動、18単産76万人がスト・集会 11.20　自治労清掃給食など民間委託反対一般職並賃金を要求して現業スト　↗	➡ 12.13　総評・炭労第4次石炭審答申粉砕で坑底坐込み 12.14　福岡教組に10.8統一行動で2万名の大処分 12.24　全電通千代田丸事件、最高裁で解雇無効の判決	
1969	2.9　東大闘争勝利・全国学園闘争勝利全国総決起集会の9大学全共闘・各派学生3000名、共産党・民青と激突、51名逮捕［全共闘運動の全国化に伴い、各大学で当局、権力、右翼と一体となった共産党・民青の闘争破壊激化］ 3.17　野坂、ソ連軍の中国領土珍宝島侵入事件で、「中ソ両国は国境紛争を話し合いで解決すべきである」と談話［中国は、ソ連修正主義を新ツアーと規定、非難］ 6.5〜7　モスクワで「世界共産党労働者党会議」開催［「赤旗」、「国際共産主義運動の団結と国際反帝統一行動に関する日本共産党の態度」発表。ソ連修正主義の志賀支持に反対するとともに、国際共産主義運動の両翼の日和見主義として中ソ両党を批判］ 7.13　東京都議選で共産党18議席獲得 7.29　第10回中央委総会開催［決議「ソ連共産党がモスクワで開いた会議とわが党の態度につい	1.6　沖縄いのちを守る県民共闘、2.4ゼネスト決定 1.18〜19　東大全共闘、反日共系各派、逮捕者374名。安田講堂、工学部列品館等占拠に対し、警察機動隊、催涙ガス、放水、火器で総攻撃。19落城、テレビ各局2日間生放送。69年度東大入試中止 1.24　沖縄県民共闘総決起大会4万人、総評支援決定 2.4　沖縄県民共闘嘉手納で総決起大会、5万5000人参加 2.8　足尾銅山労組など、古河鉱業200首切りに無期限スト	1.4　佐藤首相、年頭記者会見で沖縄返還・大学改革で決意表明 1.18〜19　東大本郷構内に機動隊8500名導入、封鎖解除［2日間の負傷者総数269名（重傷76）逮捕者、767名］ 1.31　屋良主席、県民共闘に2.4ゼネスト回避を要請、3.2中止決定 2.6　社会党、日中国交回復国民会議設立の方向をめざす活動方針決定 3.9　米韓大空輸演習フォーカス・レティナ作戦開始、沖縄を中継基地として使用 3.30　三里塚芝山連合空港	1.20　米大統領にニクソン就任 1.25　ベトナム和平拡大パリ会談開催 3.2　中国外交部、ソ連軍の黒龍江省珍宝島地区侵入に抗議、3.4「人民日報」など社説「新ツアーを打倒せよ」発表、3.7北京で100万人抗議集会 4.1〜24　中国共産党9全大会開催 4.27　ド・ゴール仏大統領、国民投票で敗北、辞任 6.5　世界共産党・労働者党協議会開催（モスクワ）75党代表参加、中国、朝鮮、ベトナム、日本などは不参加

日本共産党	社会運動	国内情勢	国際情勢	
て」採択、形式的にソ連修正主義を批判]	2.16　東日本出稼ぎ者集会	反対同盟主催、成田軍事空港粉砕全国総決起集会、1万名	8.2～3　ニクソン大統領、ルーマニア訪問	**1969**
9.24　共産党、社会党・総評などに統一戦線結成を申入れ	2.19　岩手県教組の学力テスト阻止闘争に高裁無罪判決		9.3　ホー・チ・ミン、ベトナム民主共和国大統領死去	
10月　袴田里見、上田耕一郎、イタリア共産党を訪問	3.18　国労・動労、運賃値上げ反対で初めてのスト決行	4.27　本多延嘉革共同書記長他3名、破防法で逮捕	10.15　米各地でベトナム反戦のデモ、集会	
11月　共産党系38単産、連名で「全民主勢力の統一」をアピール	5.1　40回メーデー［安保廃棄、沖縄返還、690万人］	4.28　反日共系各派、沖縄闘争［労学市民数万人都内各所で市街戦、千名逮捕］	11.16　ニューヨーク・タイムス紙、南ベトナム・ソンミ村での米兵による村民虐殺事件を報道	
11.11　名古屋地裁、52年の大須事件に騒乱罪を認め有罪判決	5.6　全軍労にベトナム行き拒否で解雇弾圧、米軍に抗議		＊この年、日本のマスコミ各社も米軍、南ベトナム軍の残虐行為を次々と報道、日本の反戦運動が高揚した	
11.14　共産党系中央実行委、佐藤訪米抗議集会・デモ	5.14　米軍、全軍労57名解雇通告	5.6　政府・自民党首脳会議、紛争処理のための大学立法を決定		
白鳥事件の村上国治、17年ぶりに仮釈放	5.28　全軍労賃上げ要求無期限スト 6.5 米兵銃剣弾圧	5.23　大学立法粉砕・中教審答申粉砕全国統一行動		
12.27　総選挙、14議席、320万票獲得	5.28　慶応病院看護婦、全病棟の24時間スト決行	6.2　愛知外相、ニクソンと会談、沖縄返還の「核抜き本土なみ」要望		
	6.11　全軍労へ大量処分			
	6.14　動労助士廃止反対闘争へ免職解雇含む大量弾圧	6.9　ASPAC第4回閣僚会議、伊東市川奈で開催［反日共系各派、国府津～静岡各所でゲリラ的闘争］		
	6.17　三池労組坐込みに機動隊弾圧、21名検挙さる			
	6.28　全逓新宿局へ郵便番号自動読取機搬入強行阻止の坐込みに機動隊弾圧出動	9.5　全国全共闘結成集会（3万4000人、日比谷野音）		
	7月　ベトナム行き乗船拒否続出	9.24　社会党・総評、反戦青年委の改組「反安保・反戦青年中央協議会」設置で合意		
	7.10　総評、日教組等13単			

	日本共産党	社会運動	国内情勢	国際情勢
1969		産、反動法案粉砕統一スト 7.18　全軍労へ首切り7、停職42含む報復大量処分 7.20　総評38回大会、「70年ゼネスト方針」決定 7.28　三池労組、不当解雇撤回で24時間スト 8.4　大学法反対で全国教職員総決起集会 8.26　自治労、70年安保に総力、反戦青年委再開方針 10.21　国際反戦統一行動15単産スト、6000カ所で集会 11.9　11.3スト成功めざす総評青年労働者総決起集会 11.13 佐藤訪米抗議スト、総評67単産、沖縄70組合 12.4 全軍労へ2000人首切り通告、全軍労統一スト方針 12.13　国労・動労の助士廃止闘争へ首切り含む5000名処分 12.26　総評、長沼裁判干渉の平賀判事らの訴追提出	10.9　自民党、安保条約の自動延長を決定 11.17 佐藤首相訪米［11.21日米共同声明。安保堅持、72年沖縄返還を表明。11.16、17 佐藤首相訪米阻止闘争］ 12.16　建設省、成田空港の土地収用を認定 ＊この年、反日共系各派、反戦青年委は、10.21から11月佐藤訪米阻止闘争を展開するが、前年の10.21新宿反戦大集会と実力行動に共感した人民大衆の再結集は実現できなかった。街頭実力闘争の限界なのか	

日本共産党	社会運動	国内情勢	国際情勢
初頭　京都府知事選、社共統一候補蜷川虎雄6選［共産党は「自民党の反動政治に対する直接の対決の場としての自治体の役割はますます重要」であり、「民主勢力の統一戦線が地方議会の多数と自治体首長をしめる民主連合都道府県政・市町村政が数多く誕生すれば、それが日本の政治の転換の原動力の1つになることは明白」とし、府知事選を70年代における主要な政治課題として取りくんだ］ 1月　公明党・創価学会と「言論・出版妨害事件」で対立［公明党が、その組織的な基礎を「宗教的ドグマ」におく以上、そこには近代民主主義の原理である政教分離の原則が貫徹しえない」と批判］ 4.13　宮本顕治、中朝共同声明（4.13）の「日本の軍国主義復活」にふれ、「全面的な軍国主義の復活はない」と反論 4.28　沖縄デー、社共共闘 6.23　安保反対闘争、社共共闘［全国で77万4000人、東京の中央集会、22万人参加］ 7.1～7　日本共産党第11回大会開催［年末選挙における躍進、京都府知事選の勝利、自民党をして70年代は自民・共産の対決の時代であるといわせた、いわゆる「大躍進」を背景に開催。また、前例を破って役員選挙をのぞき全過程がマスコミに公開された。大会決議は①米帝のインドシナ3国人民の支援、国内的には軍国主義の全面的復活阻止②日本人民の当面する革命的任務として「米	1.5　全軍労に第2次解雇800名通告、全駐労にも解雇 1.19　全軍労、5日間スト突入、武装米兵の弾圧出動、 1.20　海兵隊の弾圧出動、 1.24　米軍、ストに大量処分 2.24～6　米軍の解雇通告続く［合計1502名］ 2.7　沖縄県労協など全軍労支援集会 2.20　東京12チャンネル、指名解雇撤回［201人］ 2.23　総評、6月ゼネスト方針をスト含む行動へ大幅戦術ダウン、下部反発 3.6　総評39回臨時大会［70年闘争の後退方針決定］ 3.8　全軍労、スト闘争宣言 3.15　春闘第1波統一行動 3.21　読売日響楽団で労働組合結成 3.28　埼玉県教組に11.13ストで2800名の処分 4.3　春闘第3波統一行動［全金など900組合スト］ 4.16　光文社労組・記者労	1.14　第3次佐藤内閣成立 2.19　空港公団、三里塚強制立入り調査、反対同盟2000人坐り込み 2.25　日大全共闘、右翼に襲われ中村克己虐殺さる 3.14　日本万国博覧会開催 3.31　赤軍派、日航機「よど」号ハイジャック 　新日本製鉄発足 4月　沖縄国政参加措置法成立 4.28　沖縄闘争勝利・安保粉砕統一集会 5.8　全国全共闘、反戦青年委、米軍のカンボジア侵略抗議集会 6.14　インドシナ反戦と反安保の6.14大共同行動、7万2000人参加（代々木公園） 6.15　日米安全保障条約自動延長 6.23　反安保闘争（全国77万4000人参加、東京は明治公園）	1.20　ワルシャワで米中会談再開 3.18　カンボジアで右派集団がクーデター 4.5～7　周恩来首相、朝鮮訪問、4.7中朝共同声明 4.22　「人民日報」など「レーニン主義なのか、それとも社会帝国主義なのか―偉大なレーニンの生誕百周年を記念して」発表 4.25　インドシナ人民首脳会議、共同声明発表 5.1　米軍と南ベトナムかいらい軍、カンボジア侵攻 5.5　シアヌーク殿下、カンボジア王国民族連合政府の成立を発表 5.20　毛沢東主席、「全世界人民は団結して米侵略者とそのすべての手先をうち破ろう」と声明発表 9.3　「人民日報」など共同社説「復活した日本軍国主義を打倒しよう―中国人民の抗日戦争25周年を記念し

	日本共産党	社会運動	国内情勢	国際情勢
1970	帝国主義と日本独占資本の合作によるサンフランシスコ体制を打破して独立・民主・平和・中立の日本をきずく反帝・反独占の民主主義革命の遂行」を再確認した。その遂行にあたりまた、「今日の日本の政治制度のもとでは、国会の多数の獲得を基礎として民主的政府を合法的に樹立することの可能性がある」として「議会制度と民主主義が重要な制約をもちつつも今日のような発達した形態をとっているわが国においては、選挙闘争や国会活動をいっそう重視することこそ必要である」という主張にもとづき、規約を改正し、結党以来の伝統的な名称であった細胞を支部という「親しみやすい名称」にかえ、宮本を中心とした組織体制を確立した] [この11回大会の決議は、ブルジョア議会へ参加する中で権力問題を曖昧化する「過半数をとれば国会を人民の道具にかえることができる」かのごとき幻想をふりまき、そのことをレーニンの学説をねじまげて引用し正当化している。またブルジョア独裁を打ち倒す革命の主体・基盤について得票数以外には何ら述べていない。このような根本問題を抜きにして、どんな言葉で修正しようとしても、ブルジョアジーの手先になりさがっている事実は隠せない] 7.27　日本共産党創立48周年第21回党大会記念講演会［不破、「主権在民と人民議会主義を2つ	組、社長退陣等要求し無期限スト、『女性自身』発行止まる 5.1　41回メーデー 5.26　電機労連18回大会［全民懇に批判集中］ 5.27　報知新聞労組へ会社側暴力団使いロックアウト攻撃、労組員負傷、闘争長期化 6.11　光文社、ロックアウト 6.12　ゼネラル石油労組、ハイオク生産中止で闘争 6.22　沖縄教職員会、マスコミ関係労組スト 6.29　光文社に二組誕生、3労組、スト解除就労宣言 7.7　在日本華僑青年闘争委員会（華青闘）、新左翼系の反入管闘争集会で、抑圧民族としての日本左翼を告発する衝撃的批判 7.27　東京地評、司法反動弾圧粉砕・報知新聞闘争支援総決起大会開催 8.2　ゼネラル石油労組へ会	8.4　中核派、革マル派海老原をリンチ殺害、以後両派間の内ゲバ激化 10.24　佐藤・ニクソン会談 11.15　沖縄の国政参加選挙［衆院5人、参院2人が誕生］ 11.25　三島由紀夫、市ヶ谷自衛隊でクーデター扇動し自殺 12.9　日中国交回復促進議員連盟が発足 12月　10.1の国勢調査で総人口1億人を突破 12.18　京浜安保共闘、東京上赤塚交番襲撃、横浜国大生・柴野春彦射殺さる 12.20　沖縄コザ市で反米暴動、5000人参加	て」発表 9.8　第3回非同盟諸国首脳会議、ザンビアで開催、62カ国参加 11.3　チリでアジェンデ政権成立

日本共産党	社会運動	国内情勢	国際情勢	
の柱とする党建設」を述べる] 9.18 〜 23　不破、「赤旗」に「レーニンと議会主義」掲載	社側ロックアウト攻撃 8.9　総評 40 回大会、市川誠議長、大木正吾事務局長体制発足 9.10　全軍労 48 時間スト 9.21　報知争議、ロック ↗	➡アウト解除、就労開始 10.17　総評、官公労働者のスト権奪還を掲げ統一行動 10.21　国際反戦統一行動 11.29　公害メーデー		**1970**
1月　「国政革新の統一戦線 3 原則」発表 [①日米軍事同盟の解消と平和中立化②大資本本位から国民本位への経済政策の転換③軍国主義の全面復活阻止と民主主義の確立をめざす国民生活防衛と民主的改革の政府] 4月　統一地方選挙、社共共闘で東京都知事選・美濃部亮吉、大阪府知事選・黒田了一当選 6.23　宮本、「プロレタリア独裁」を「適正な訳語」に改正すると述べる 6.29　参議院選挙、全国区 5、地方区 1 議席確得、得票数、487 万 4000 票（地方区） 8.19　宮本、ルーマニア・イタリア・ベトナム・ソ連訪問 [ルーマニアと「自主独立」を基調とする共同コミュニケ発表] 9.8　「日中問題と日本共産党」発表 [同論文は、日中国交回復の動きが盛り上がりをみせていたとき、中国共産党からは「4 つの敵」の一つとしてあげられ、こうした動きに何ら関わることができず、また諸方面からの批判に答えざるをえなくなり発	1.4　米軍、全軍労へ 615 人首切り攻撃、撤回要求す 2.10　造船重機共闘結成、重工業部門の右翼的再編成へ 3.2　全軍労第 2 波 48 時間スト決行、基地機能全面マヒ 3.5　動労、マル生運動と対決の春闘方針決定 4.1　常盤炭鉱閉山、闘争終る 4.14　全軍労 48 時間スト 4.28　沖縄デー。統一行動、沖縄 6 万人集会、高校生も参加 5.19　沖縄全県ストライキ 6.17　沖縄返還協定抗議県民総決起集会、3 万人デモ 7.7　国鉄当局 2 万 5000 余人の大量処分攻撃 7.31　総評 42 回大会	1.13　沖縄の第 1 次毒ガス移送開始 2月　成田空港強制代執行開始、反対同盟、反日共系支援各派、激烈な反対闘争 4.12　東京都知事に美濃部亮吉が再選 6.17　沖縄返還協定調印（調印抗議闘争で赤軍派、明治公園で鉄パイプ爆弾使用し機動隊 1 名死亡） 8.16　米のドル防衛でダウ株価は 210 円 50 銭安の史上空前の大暴落 9.16　三里塚第 2 次強制代執行 [空港公団、岩山鉄塔を引き倒す。東峰十字路ゲリラ戦で機動隊 3 名死亡] 12.18　ワシントンの 10 カ	2.5　南ベトナムかいらい軍ラオス侵攻 4.10　米卓球チーム中国訪問、4.16 ニクソン大統領訪中希望と声明 7.9　キッシンジャー米大統領補佐官中国訪問、7.15 ニクソン大統領の訪中発表 8.20　南北朝鮮の赤十字会談、板門店で開催 9.13　林彪、クーデターを企て失敗、ソ連へ逃亡中モンゴルで墜落死 10.25　国連でアルバニア決議案採択、中国国連に復帰 11.28　インド軍が東パキスタンに侵攻、パキスタンを武力で分断	**1971**

	日本共産党	社会運動	国内情勢	国際情勢
1971	表された。論文は、日本共産党は「50年前の創立以来今日まで日中両国人民の真の友好と連帯のため奮闘してきたが、中国共産党一部グループ毛沢東・周一派が妨害している」と述べ、日中友好破壊の責任を中国に転嫁］ 12.3〜6　第6回中央委総会開催［「日本の条件下でのレーニン型の党—大衆前衛党の建設をめざす組織政策」決定］	8.30　全逓大会、宝樹路線を否決 9.1　沖縄県労協、生活危機非常事態宣言、3万大集会 10.15　東京地裁、勤評闘争事件で都教組員に勝利判決 11.1　全逓中郵裁判勝訴。東京地裁、政治活動処分違憲 11.19　沖縄返還協定反対総評ら27万人の国会デモ	国蔵相会議で円切り上げ決定（1ドル＝308円）	
1972	2.28　上田耕一郎政策委員長「米中共同声明」にふれ「ニクソンは白旗ではなく星条旗を掲げて北京を訪問した」と述べる 2月　連合赤軍に対する「反暴力」キャンペーンを国会、街頭などで全国的に行う［連合赤軍の思想的な背景であり、それを激励してきた中国「毛・周一派」を批判しなければ真実を究明できないと宣伝］ 6.12　「赤旗」、幹部会名で「新しい日和見主義に関するコミュニケ」発表［民主青年同盟に同盟中央に反対する勢力が公然化したことにふれたもの。「新日和見主義派」の台頭］ 7.15　日本共産党50周年記念式典開催［党員30万、「赤旗」日刊50万、日曜版190万］ 12.11　総選挙、得票数520万票、議席38、沖縄	1.28　全国民労協結成 4.14　海員組合、92日間のストに突入 5.15　沖縄協定発効に対して抗議行動 8.7　総評44回大会、戦線統一で4原則7方針を確認 8.21　新日鉄労連結成 9.10　総評、社会党など相模原現地大集会、1万人が基地へデモ 9.19　相模原戦車搬出強行に対して市民・労組員・学生坐り込み 10.3　自動車総連結成	1.16　サンクレメンテで日米首脳会談 2月　連合赤軍浅間山荘事件 5.15　沖縄の、施政権が米国から返還され、沖縄県が復活 5月　神奈川県相模原補給廠前でM48戦車搬出阻止闘争開始。基地正門から国道までの道路両側にテント村設置される 7.7　田中内閣発足 7.24　四日市ぜんそく訴訟で患者側が勝訴 8.5　横浜ノースピア入口で	1.12　ラーマン、バングラデシュ首相に就任 2.21　ニクソン米大統領が中国訪問、毛沢東主席、周恩来首相と会談、2.27上海で共同コミュニケ発表、平和5原則を確認 4.16　米、ハノイ・ハイフォンを大規模爆撃 5.8　ニクソン、ベトナム北部全港湾の機雷封鎖を発表 8.30　平壌で南北朝鮮赤十字第1回本会議開催 10.17　韓国全土に非常戒厳令、憲法改正、国会解散、

日本共産党	社会運動	国内情勢	国際情勢	
人民党、革新共同を合わせると、550 万票、40 議席に「大躍進」 12.20 ～ 21　第 9 回中央委総会開催、[社会党を中間政党と批判、社共論争激化。12 月総選挙を通じて、真の革新政党の看板をかかげ、一方では労働組合における特定政党支持批判キャンペーンを大々的に行う。こうした一連の動きはブルジョア独裁に対しプロレタリア独裁を対置するのではなく、その革命主体であるはずの労働者階級の団結を破壊し、ブルジョア国会の範囲内の改良の中に押しとどめる役割をはたしている]	10.21　国際反戦デー統一スト、職場集会に 110 万人 11.17　総評戦線対策委、民間協の発足を条件付きで承認 12.18　立川基地への自衛隊移駐に抗議し、労組員 3000 人緊急集会 ＊この年、大阪府警の西成警察署が釜ヶ崎日雇労働組合員の自宅前に監視カメラを設置する。これ以後日本全土に人民を監視できる警察の 24 時間監視カメラが拡大している	社会党等 M48 戦車輸送を阻止 8.31 ハワイで日米首脳会談 9.10　戦車搬出阻止、基地撤去、相模原現地 1 万人集会 9.25 ～ 29　日中国交回復（日中共同声明調印） 11.21　メーデー事件判決（日本人は無罪、朝鮮人のみ有罪） 12.10　衆議院選で社共躍進 ＊この年、2 月に発生した浅間山荘籠城事件以後、それまでの山岳ゲリラ活動中に、左翼運動史上空前のリンチ粛清事件が次つぎに明らかになる	政治活動禁止などの措置をとり、南北統一への機運を破壊 12.28　金日成、朝鮮民主主義人民共和国主席に就任	1972

印刷／製本……モリモト印刷株式会社

制作……有限会社閏月社

編者…………木村孝司

【編者紹介】

木村孝司（きむら・たかし）

1945 年、兵庫県生まれ、後に大阪へ移住。

1964 年、明治大文学部入学。

米原子力潜水艦寄港阻止闘争を機に学生運動に参加。65 年、日韓条約反対闘争、ベトナム侵略戦争反対闘争に参加。

66 〜 67 年の明大学費値上げ反対闘争を、全学連委員長の裏切りに抗して、全学闘の一員として闘う。学費闘争後退学。

1967 年〜、神奈川県の労働運動に参加、1969 年、神奈川安保共闘を組織し、70 年安保闘争を指導する。

2006 年、九条改憲阻止の会に参加、2011 年 3・11 の後、9・11 に立ち上げた経産省前反原発テント広場に参加している。

埼玉県で、九条の会さいたまに参加し、「オール埼玉」の運動に連帯している。

近現代史年表で読む
社会運動グラフィティ 1897〜1972

2021 年 3 月 1 日　初版第 1 刷印刷
2021 年 3 月 25 日　初版第 1 刷発行

装本……李舟行

発行者…………徳宮峻
発行所…………図書出版白順社　113-0033　東京都文京区本郷 3-28-9
　　　　　　　　TEL 03（3818）4759　FAX 03（3818）5792

©Kimura Takashi 2021　ISBN978-4-8344-0281-0　Printed in Japan